ΚΡΑΣ
ΣΜΑΣ
ΜΠΑ-
ΝΤΑΜ
ΜΠΙΝΤΙ-
ΜΠΑΜ-
ΜΠΟΠ
ΓΟΥΠ
ΦΤΟΥΠ

ΤΟ ΗΜΕΡΟΛΟΓΙΟ ενός Σπασίκλα 2

ΤΙΤΛΟΣ ΠΡΩΤΟΤΥΠΟΥ:
DIARY OF A WIMPY KID:
RODRICK RULES, BOOK TWO
Από τις Εκδόσεις Harry N. Abrams Inc., Ν. Υόρκη 2008
ΤΙΤΛΟΣ ΒΙΒΛΙΟΥ: **Το ημερολόγιο ενός σπασίκλα 2: Ο Ρόντρικ δεν παίζεται!**
ΣΥΓΓΡΑΦΕΑΣ: Jeff Kinney
ΜΕΤΑΦΡΑΣΗ: Χαρά Γιαννακοπούλου
ΕΠΙΜΕΛΕΙΑ – ΔΙΟΡΘΩΣΗ ΚΕΙΜΕΝΟΥ: Άννα Μαράντη
ΕΞΩΦΥΛΛΟ: Chad W. Beckerman and Jeff Kinney
ΗΛΕΚΤΡΟΝΙΚΗ ΣΕΛΙΔΟΠΟΙΗΣΗ: Ελένη Σταυροπούλου
ΕΚΤΥΠΩΣΗ: Ι. Πέππας ΑΒΕΕ
ΒΙΒΛΙΟΔΕΣΙΑ: Μάντης Ιωάννης & Υιοί Ε.Ε.

Πρώτη έκδοση: Μάρτιος 2009, 5.000 αντίτυπα
Ενδέκατη ανατύπωση: Ιανουάριος 2012

ISBN 978-960-453-524-8

Τυπώθηκε σε χαρτί ελεύθερο χημικών ουσιών, προερχόμενο αποκλειστικά και μόνο από δάση που καλλιεργούνται για την παραγωγή χαρτιού.

ΕΚΔΟΣΕΙΣ ΨΥΧΟΓΙΟΣ Α.Ε.
Έδρα: Τατοΐου 121
144 52 Μεταμόρφωση
Βιβλιοπωλείο: Μαυρομιχάλη 1
106 79 Αθήνα
Τηλ.: 2102804800
Telefax: 2102819550
www.psichogios.gr
e-mail: info@psichogios.gr

PSICHOGIOS PUBLICATIONS S.A.
Head office: 121, Tatoiou Str.
144 52 Metamorfossi, Greece
Bookstore: 1, Mavromichali Str.
106 79 Athens, Greece
Tel.: 2102804800
Telefax: 2102819550
www.psichogios.gr
e-mail: info@psichogios.gr

ΤΟ ΗΜΕΡΟΛΟΓΙΟ

Ο ΡΟΝΤΡΙΚ ΔΕΝ ΠΑΙΖΕΤΑΙ!

Τζεφ Κίνι

ΜΕΤΑΦΡΑΣΗ: ΧΑΡΑ ΓΙΑΝΝΑΚΟΠΟΥΛΟΥ

ΕΝΔΕΚΑΤΗ ΑΝΑΤΥΠΩΣΗ

Ο **ΤΖΕΦ ΚΙΝΙ** είναι σχεδιαστής διαδικτυακών παιχνιδιών. Πέρασε τα παιδικά του χρόνια στην Ουάσινγκτον και το 1995 μετακόμισε στη Νέα Αγγλία. Ο Τζεφ ζει τώρα στη νότια Μασαχουσέτη με τη σύζυγό του και τους δυο γιους τους. Από τις Εκδόσεις ΨΥΧΟΓΙΟΣ κυκλοφορούν επίσης τα βιβλία του *ΤΟ ΗΜΕΡΟΛΟΓΙΟ ΕΝΟΣ ΣΠΑΣΙΚΛΑ: ΤΑ ΧΡΟΝΙΚΑ ΤΟΥ ΓΚΡΕΓΚ ΧΕΦΛΙ,* το οποίο έχει γυριστεί κινηματογραφική ταινία από την Twentieth Century Fox, *ΤΟ ΗΜΕΡΟΛΟΓΙΟ ΕΝΟΣ ΣΠΑΣΙΚΛΑ 3: ΤΟ ΠΟΤΗΡΙ ΞΕΧΕΙΛΙΣΕ, ΤΟ ΗΜΕΡΟΛΟΓΙΟ ΕΝΟΣ ΣΠΑΣΙΚΛΑ 4: ΣΚΥΛΙΣΙΑ ΖΩΗ, ΤΟ ΗΜΕΡΟΛΟΓΙΟ ΕΝΟΣ ΣΠΑΣΙΚΛΑ 5: Η ΣΚΛΗΡΗ ΑΛΗΘΕΙΑ, ΤΟ ΗΜΕΡΟΛΟΓΙΟ ΕΝΟΣ ΣΠΑΣΙΚΛΑ 6: ΜΕΡΕΣ ΠΑΝΙΚΟΥ, ΤΟ ΗΜΕΡΟΛΟΓΙΟ ΕΝΟΣ ΣΠΑΣΙΚΛΑ: ΦΤΙΑΞΕ ΤΟ ΔΙΚΟ ΣΟΥ ΒΙΒΛΙΟ* και *ΤΟ ΗΜΕΡΟΛΟΓΙΟ ΕΝΟΣ ΣΠΑΣΙΚΛΑ: ΠΩΣ ΓΥΡΙΣΤΗΚΕ Η ΤΑΙΝΙΑ.*

ΣΤΗΝ ΤΖΟΥΛΙ, ΣΤΟΝ ΓΟΥΙΛ ΚΑΙ ΤΟΝ ΓΚΡΑΝΤ

ΣΕΠΤΕΜΒΡΙΟΣ

Δευτέρα
Μάλλον η μαμά χάρηκε πολύ με τον εαυτό της που με κατάφερε να κρατήσω ημερολόγιο πέρυσι, γιατί τώρα πήγε και μου πήρε ξανά άλλο τετράδιο.

Όμως, θυμάστε που είπα ότι, αν κάποιος κόπανος στο σχολείο με έπιανε να κουβαλάω ένα τετράδιο που γράφει επάνω «ημερολόγιο», μπορεί να έβγαζε λάθος συμπεράσματα; Ε, αυτό ακριβώς έπαθα σήμερα.

(Ο ΑΔΕΛΦΟΣ ΜΟΥ Ο ΡΟΝΤΡΙΚ)

Και τώρα που ο Ρόντρικ ξέρει πως έχω κι άλλο ημερολόγιο, καλά θα κάνω να το κλειδώνω. Ο Ρόντρικ, πριν από μερικές βδομάδες, βρήκε το ΠΕΡΣΙΝΟ ημερολόγιο και έπαθα ήττα. Αλλά καλύτερα να μην αρχίσω μ' ΑΥΤΗ την ιστορία τώρα.

Ακόμη και χωρίς τον Ρόντρικ, δεν είχα και λίγα προβλήματα το καλοκαίρι.

Δεν πήγαμε πουθενά οικογενειακώς, τίποτα καλό δεν κάναμε και γι' αυτό φταίει ο μπαμπάς. Γιατί με έγραψε πάλι στην κολύμβηση και φρόντισε να μη χάσω κανένα μάθημα.

Του μπαμπά τού καρφώθηκε πως η μοίρα έχει αποφασίσει να γίνω πρωταθλητής στην κολύμβηση και γι' αυτό με βάζει να πηγαίνω στην πισίνα κάθε καλοκαίρι.

Στο πρώτο μου μάθημα, πριν από δυο χρόνια, ο μπαμπάς μού είπε πως, όταν ο κριτής δώσει την εκκίνηση, πρέπει να πηδήξω στο νερό και ν' αρχίσω να κολυμπάω.

Αυτό που ΞΕΧΑΣΕ να μου πει είναι πως το πιστόλι ρίχνει ΑΣΦΑΙΡΑ μόνο.

Οπότε είχα αγχωθεί για το πού θα προσγειωθεί η σφαίρα και δε σκεφτόμουν πως έπρεπε να κολυμπήσω μέχρι την άλλη άκρη της πισίνας.

Ακόμη κι όταν ο μπαμπάς μού εξήγησε την όλη φάση με την εκκίνηση, εγώ τα πήγα χάλια σε σχέση με τους άλλους κολυμβητές.

Όμως πήρα τελικά τον τίτλο για τον αθλητή με τη «Μεγαλύτερη Βελτίωση» στο τέλος του καλοκαιριού. Κι αυτό εξαιτίας μιας διαφοράς δέκα λεπτών μεταξύ της πρώτης και της τελευταίας κούρσας μου.

Οπότε, μάλλον ο μπαμπάς περίμενε πλέον να επαναλάβω το θρίαμβο.

Πάντως, για πολλούς και διάφορους λόγους, η πισίνα ήταν πολύ χειρότερη απ' το γυμνάσιο.

Πρώτον, έπρεπε να βρισκόμαστε στην πισίνα από τις 7.30 το πρωί και το νερό ήταν πάντα ΜΠΟΥΖΙ.

Και δεύτερον, μας στοίβαζαν όλους σε δύο διαδρομές και πάντα είχα κάποιον πίσω μου ή στο πλάι μου, να προσπαθεί να με προσπεράσει.

Ο λόγος που χρησιμοποιούσαμε μόνο δύο διαδρομές ήταν γιατί η προπόνησή μας γινόταν την ίδια ώρα με το Αερόμπικ στο Νερό.

Μέχρι που προσπάθησα να πείσω τον μπαμπά να με γράψει σ' αυτό τουλάχιστον, αλλά δε μάσησε.

Ήταν το πρώτο καλοκαίρι που ο προπονητής μάς άφησε να φοράμε σορτσάκια μαγιό, αντί γι' αυτά τα παλιά που μοιάζουν με σώβρακα. Η μαμά όμως μου έδωσε το παλιό μαγιό του Ρόντρικ, γιατί ήταν «μια χαρά».

Μετά την προπόνηση, ο Ρόντρικ ερχόταν να με πάρει από την πισίνα με το βαν του συγκροτήματος. Η μαμά είχε τη φαεινή ιδέα πως, αν ο Ρόντρικ περνούσε μαζί μου λίγο «ποιοτικό χρόνο» στο γυρισμό από την πισίνα, τότε δε θα τσακωνόμασταν τόσο. Μόνο που τα πράγματα έγιναν απλώς χειρότερα.

Ο Ρόντρικ πάντα αργούσε κάνα μισάωρο να με πάρει. Και δε μ' άφηνε να κάθομαι μπροστά. Είπε πως το χλώριο χαλάει τα καθίσματα, αν και το βαν ήταν ήδη πάνω από δεκαπέντε ετών.

Αλλά πίσω δεν έχει καθίσματα, οπότε έπρεπε να κάτσω μαζί με τον εξοπλισμό του συγκροτήματος. Και κάθε φορά που φρέναρε, έπρεπε να προσεύχομαι να μη μου κόψει το κεφάλι κανένα από τα τύμπανα του Ρόντρικ.

Οπότε, κάθε μέρα γύριζα με τα πόδια αντί να μπαίνω στο βαν. Ήταν καλύτερο να περπατάω τριάμισι χιλιόμετρα, παρά να πάθω καμιά εγκεφαλική βλάβη εκεί μέσα.

Κάπου στα μισά του καλοκαιριού, αποφάσισα πως έπρεπε να τελειώνω με την ομάδα κολύμβησης. Οπότε, σκέφτηκα ένα κόλπο για να γλιτώνω τις προπονήσεις.

Θα έκανα κάποιους γύρους και μετά θα έλεγα στον προπονητή πως πρέπει να πάω στην τουαλέτα. Και θα κρυβόμουν στα αποδυτήρια, μέχρι να τελειώσει η προπόνηση.

Το πρόβλημα ήταν πως είχε πολικό ψύχος στις τουαλέτες των αντρών. Αλήθεια, ΕΚΕΙ μέσα έκανε πιο πολύ κρύο απ' ό,τι στην πισίνα.

Και τυλιγόμουν με χαρτί τουαλέτας για να μην πάθω καμιά υποθερμία.

Κάπως έτσι πέρασα το μεγαλύτερο μέρος των καλοκαιρινών μου διακοπών. Γι' αυτό και ανυπομονώ όσο τίποτα ν' αρχίσει αύριο το σχολείο.

Τρίτη

Όταν έφτασα σχολείο, όλοι φέρονταν περίεργα μόλις με έβλεπαν. Και στη αρχή δεν είχα ιδέα ΓΙΑΤΙ.

Και τότε θυμήθηκα: Είχα ακόμη το ΤΥΡΙ από πέρσι. Είχα πάρει το Τυρί την τελευταία βδομάδα του σχολείου και μες στο καλοκαίρι το είχα ΤΕΛΕΙΩΣ ξεχάσει.

Το πρόβλημα με το «Πάρε το Τυρί» είναι ότι μένει σ' εσένα μέχρι να το δώσεις σε κάποιον άλλο. Αλλά κανένας δεν τολμάει να σε πλησιάσει αρκετά, ώστε να μπορείς να απλώσεις το χέρι σου, και ήμουν σίγουρος πως το Τυρί θα μου έμενε μέχρι το τέλος της χρονιάς.

Ευτυχώς ήρθε ένα καινούριο παιδί, ο Τζέρεμι Πιντλ, οπότε το ξεφορτώθηκα επιτέλους το Τυρί.

Πρώτη ώρα είχαμε άλγεβρα και ο καθηγητής με έβαλε δίπλα στον Άλεξ Αρούντα, τον πιο έξυπνο της τάξης.

Άσε που με τον Άλεξ είναι ΣΟΥΠΕΡ εύκολο να αντιγράφεις, γιατί τελειώνει πάντα νωρίτερα και αφήνει την κόλλα του στο πάτωμα δίπλα του. Έτσι, αν κάποτε «κολλήσω», καλό είναι να ξέρω πως μπορεί να με ξελασπώσει ο Άλεξ.

Νομίζω πως αυτοί, που το όνομά τους αρχίζει από τα πρώτα γράμματα της αλφαβήτου, είναι πιο εύκολο να γίνουν έξυπνοι, γιατί ο καθηγητής τούς σηκώνει πιο συχνά.

Κάποιοι λένε πως δεν είναι έτσι, αλλά αν περάσετε ποτέ από το σχολείο μου, μπορώ να σας το αποδείξω.

ΑΛΕΞ ΑΡΟΥΝΤΑ

ΚΡΙΣΤΟΦΕΡ ΦΙΓΚΕΛ

Νομίζω πως μόνο ένας στην ιστορία του σχολείου έχει σπάσει αυτή την παράδοση. Ο Πιτ Ριτς. Ο Πιτ ήταν ο πιο έξυπνος της τάξης του μέχρι περίπου την πέμπτη.

Τότε ήταν που κάποιοι ανακάλυψαν πώς ακουγόταν το όνομά του όταν το έλεγες «γρήγορα».

Τώρα ο Πιτ δεν τολμάει καν να σηκώσει χέρι και οι βαθμοί του έπεσαν κατακόρυφα.

Πάντως νιώθω κάπως άσχημα για τον Πιτ και το ΠΡΙΤΣ! Αλλά ώρες ώρες δεν αντέχω να μην αποκαλύψω ποιος ευθύνεται για τη φάση.

Τέλος πάντων, σήμερα έπιασα καλές θέσεις σε όλα τα μαθήματα, εκτός από την Ιστορία της έβδομης ώρας. Καθηγητής είναι ο κύριος Χαφ και κάτι μου λέει πως είχε μαθητή τον Ρόντρικ πριν από μερικά χρόνια.

Τετάρτη

Η μαμά έχει βάλει εμένα και τον Ρόντρικ να βοηθάμε πιο πολύ στις δουλειές του σπιτιού και τώρα οι δυο μας είμαστε υπεύθυνοι για το πλύσιμο των πιάτων κάθε βράδυ.

Είπε πως δε θα μας αφήνει να βλέπουμε τηλεόραση ή να παίζουμε ηλεκτρονικά μέχρι τα πιάτα να αστράφτουν. Έλα όμως που, στη λάντζα, ο Ρόντρικ είναι ο ΧΕΙΡΟΤΕΡΟΣ συνεργάτης του κόσμου.

Με το που τελειώνει το βραδινό, πάει πάνω, στο μπάνιο, και βγαίνει ύστερα από μία ώρα. Και όταν κατεβαίνει στην κουζίνα, εγώ έχω ήδη τελειώσει.

Αλλά αν πάω να παραπονεθώ στη μαμά και στον μπαμπά, βρίσκει πάντα την κατάλληλη δικαιολογία.

Νομίζω πως οι γονείς μου ανησυχούν υπερβολικά για το μικρό μας αδελφό αυτό τον καιρό, κι έτσι αποφεύγουν τους καβγάδες.

Χθες, ο Μάνι έκανε μια ζωγραφιά στον παιδικό σταθμό και η μαμά με τον μπαμπά συγχύστηκαν πολύ όταν τη βρήκαν στην τσάντα του.

Νόμιζαν πως έδειχνε ΑΥΤΟΥΣ η ζωγραφιά και τώρα είναι όλο γλύκες και αγάπες μπροστά στον Μάνι.

Εγώ, πάλι, ήξερα καλά ποιους είχε ζωγραφίσει ο Μάνι: εμένα και τον Ρόντρικ.

Πριν από μερικές μέρες είχαμε τσακωθεί πάρα πολύ για το τηλεκοντρόλ και ο Μάνι είδε όλο το σκηνικό. Όμως δε χρειάζεται να το μάθουν οι γονείς αυτό, έτσι;

Πέμπτη

Άλλος ένας λόγος που πέρασα χάλια καλοκαίρι ήταν επειδή ο κολλητός μου, ο Ράουλι, είχε πάει διακοπές και έλειπε σχεδόν όλο τον καιρό. Νομίζω πως πήγε κάπου στη Νότια Αμερική, αλλά δεν είμαι και πολύ σίγουρος.

Δεν ξέρω αν αυτό δείχνει πως είμαι κακός άνθρωπος, αλλά μου είναι πολύ δύσκολο να δείξω ενδιαφέρον για τις διακοπές των άλλων.

Άσε που η οικογένεια του Ράουλι όλο ταξιδεύει σε διάφορα τρελά μέρη του κόσμου, οπότε πού να θυμάμαι εγώ όλες τις χώρες που έχουν πάει;

Ο άλλος λόγος που δε με νοιάζουν τα ταξίδια του Ράουλι είναι γιατί, όποτε γυρίζει από τις διακοπές του, δε μιλάει για τίποτε άλλο και με πρήζει.

Πέρσι, ο Ράουλι είχε πάει με τους γονείς του στην Αυστραλία για δέκα μέρες, αλλά, έτσι όπως έκανε όταν γύρισε, νόμιζες πως είχε περάσει μια ζωή εκεί.

Άλλος ένας λόγος που μου τη σπάει, όποτε ο Ράουλι πάει εξωτερικό, είναι που κολλάει ό,τι μόδα υπάρχει εκεί πέρα εκείνη την εποχή.

Όπως τότε που είχε γυρίσει από την Ευρώπη πριν από δυο χρόνια και είχε κολλήσει μ' έναν τραγουδιστή που τον έλεγαν «Τζόσι» και μάλλον ήταν πρώτο όνομα εκεί. Και ο Ράουλι γύρισε με τσάντες ολόκληρες CDs του τύπου, και αφίσες, και διάφορα.

Μια ματιά έριξα στο CD και αμέσως είπα στον Ράουλι πως ο Τζόσι ήταν για εξάχρονα κοριτσάκια, αλλά δε με πίστεψε. Είπε πως απλώς ζήλευα, επειδή εκείνος είχε πρώτος «ανακαλύψει» τον Τζόσι.

Και αυτό που μου την έδινε περισσότερο ήταν που ο τύπος είχε γίνει κάτι σαν ήρωας για τον Ράουλι. Όποτε πήγαινα να πω κάτι εναντίον του Τζόσι, ο Ράουλι ούτε να τ' ακούσει.

Α, και τώρα που μιλάμε για εξωτερικό, σήμερα, στα Γαλλικά, η μαντάμ Λεφρέρ μάς είπε πως θα πρέπει να διαλέξουμε κάποιο φίλο να αλληλογραφούμε όλο το χρόνο.

Όταν ο Ρόντρικ πήγαινε γυμνάσιο, αλληλογραφούσε με μια κοπέλα από την Ολλανδία που ήταν δεκαεφτά. Το ξέρω, γιατί έχω δει τα γράμματα στο συρτάρι του.

Όταν η μαντάμ Λεφρέρ μάς έδωσε αιτήσεις να συμπληρώσουμε, φρόντισα να τσεκάρω τα κουτάκια που θα μου εξασφάλιζαν μια αλληλογράφο σαν του Ρόντρικ.

Αλλά όταν η μαντάμ Λεφρέρ διάβασε την αίτησή μου, με έβαλε να την ξαναγράψω. Είπε πως έπρεπε να διαλέξω ένα αγόρι της ηλικίας μου ΚΑΙ να είναι και Γάλλος. Άρα, δεν τρέφω και πολλές ελπίδες για το νέο μου αλληλογράφο.

Παρασκευή

Η μαμά αποφάσισε να βάλει τον Ρόντρικ να με παίρνει από το σχολείο, όπως με έπαιρνε και από την πισίνα. Που σημαίνει πως τίποτα δεν έμαθε η μαμά από την προηγούμενη εμπειρία. Εγώ όμως έμαθα. Κι έτσι, όταν ήρθε να με πάρει ο Ρόντρικ σήμερα, τον παρακάλεσα να προσέχει με το φρενάρισμα.

Ο Ρόντρικ είπε «εντάξει», αλλά ύστερα έκανε παράκαμψη για να πέφτει πάνω σε όποιο σαμαράκι είχε ο δρόμος.

Όταν βγήκα από το βαν, είπα τον Ρόντρικ κόπανο και μετά πιαστήκαμε στα χέρια. Η μαμά είδε τη σκηνή από το παράθυρο του σαλονιού.

Μας φώναξε να μπούμε και μας κάθισε στο τραπέζι της κουζίνας. Ύστερα δήλωσε πως εγώ και ο Ρόντρικ καλά θα κάναμε να λύσουμε τις διαφορές μας «πολιτισμένα».

Και, τέλος, μας πρότεινε να γράψουμε τι λάθος είχε κάνει ο καθένας και να ζωγραφίσουμε και μια εικόνα για να το δείξουμε. Αμέσως κατάλαβα πού ακριβώς το πήγαινε η μαμά μ' αυτή την ιδέα της.

Η μαμά ήταν κάποτε δασκάλα του νηπιαγωγείου και όποτε ένα παιδάκι έκανε κάτι κακό, το έβαζε να φτιάχνει μια ζωγραφιά. Μάλλον μ' αυτό τον τρόπο ήθελε να κάνει το παιδάκι να ντραπεί και να μην το ξανακάνει.

Ε, λοιπόν, αυτή η ιδέα μπορεί να έπιανε θαυμάσια στα τετράχρονα, αλλά, αν ήθελε να δει αποτέλεσμα μ' εμένα και τον Ρόντρικ, θα 'πρεπε να σκεφτεί κάτι καλύτερο.

Η αλήθεια είναι πως ο Ρόντρικ μπορεί να μου φέρεται όπως του αρέσει, γιατί ξέρει πως δεν μπορώ να κάνω τίποτα.

Βλέπετε, ο Ρόντρικ είναι ο μόνος που γνωρίζει για το εντελώς εξευτελιστικό συμβάν του καλοκαιριού και από τότε μου το κρατάει.

Έτσι, αν ποτέ μαρτυρήσω κάτι που έχει κάνει, θ' ανοίξει το στόμα του και θα μάθει το ρεζίλι μου όλος ο κόσμος.

Μακάρι να είχα και για κείνον καμιά βρόμα, να πατσίσουμε.

Βέβαια υπάρχει ΕΝΑ πράγμα που μπορεί να τον κάνει ρόμπα, αλλά δε μου χρησιμεύει σε τίποτα.

Όταν ο Ρόντρικ ήταν δευτέρα γυμνασίου, τη μέρα που θα έβγαζαν τις σχολικές φωτογραφίες είχε αρρωστήσει. Έτσι, οι γονείς μας αποφάσισαν να στείλουν με e-mail μια περσινή φωτογραφία του Ρόντρικ για να μπει στην επετηρίδα.

Μη με ρωτήσετε πώς κατάφερε να μπερδέψει έτσι τις φωτογραφίες ο μπαμπάς, αλλά κατέληξε να στείλει μία του Ρόντρικ απ' τη δευτέρα δημοτικού!

Και, αν θέλετε με πιστεύετε, αυτή δημοσίευσαν.

Δυστυχώς, ο Ρόντρικ είχε την εξυπνάδα να σκίσει τη σελίδα από την επετηρίδα. Οπότε, αν θέλω οπωσδήποτε να βρω κάτι εναντίον του, πρέπει να συνεχίσω το ψάξιμο.

Τετάρτη

Από τότε που η μαμά μού ανέθεσε το πλύσιμο των πιάτων, ο μπαμπάς, μετά το βραδινό, κατεβαίνει στο λεβητοστάσιο και φτιάχνει τη μακέτα με το πεδίο μάχης και τα στρατιωτάκια του.

Ο μπαμπάς περνάει τουλάχιστον τρεις ώρες κάθε βράδυ μ' αυτό το πράγμα. Νομίζω πως θα χαιρόταν περισσότερο, αν μπορούσε να περνάει όλο το σαββατοκύριακο, αλλά η μαμά έχει ΑΛΛΑ σχέδια για τον μπαμπά.

Στη μαμά αρέσει να νοικιάζει ρομαντικές κωμωδίες και βάζει τον μπαμπά να τις βλέπει μαζί της. Όμως ξέρω πως εκείνος περιμένει την πρώτη ευκαιρία να το σκάσει και να κατεβεί στο υπόγειο.

Όποτε ο μπαμπάς δεν μπορεί να βρίσκεται στο λεβητοστάσιο, φροντίζει να μην κατεβαίνει κανένα παιδί κάτω. Ούτε να πλησιάσουμε στο πεδίο μάχης του δε μας αφήνει εμένα και τον Ρόντρικ, γιατί φοβάται μην του το χαλάσουμε.

Και σήμερα τον άκουσα να λέει κάτι στον Μάνι για να φροντίσει να μην κατεβεί ούτε εκείνος στο υπόγειο.

Σάββατο

Ήρθε ο Ράουλι απ' το σπίτι σήμερα. Στον μπαμπά δεν αρέσει όταν έρχεται, γιατί λέει πως ο Ράουλι είναι «μαγνήτης ατυχημάτων». Νομίζω το λέει επειδή μια φορά ο Ράουλι είχε έρθει για φαγητό και του έπεσε ένα πιάτο και έσπασε.

Έτσι ο μπαμπάς έχει την εντύπωση πως ο Ράουλι θα του καταστρέψει τη μακέτα με το πεδίο μάχης του.

Και όποτε ο Ράουλι έρχεται σπίτι αυτές τις μέρες, ακούει πάντα την ίδια χαιρετούρα:

Αλλά ούτε ο μπαμπάς του Ράουλι συμπαθεί εμένα. Γι' αυτό και δεν πάω πολύ σπίτι του πια.

Την τελευταία φορά που πήγα να κοιμηθώ στο σπίτι του Ράουλι, είδαμε μια ταινία με κάτι παιδιά που είχαν μάθει μια μυστική γλώσσα και οι μεγάλοι δεν τους καταλάβαιναν.

ΜΕΤΑΦΡΑΣΗ: ΣΤΙΣ 2.30 μ.μ. ΑΚΡΙΒΩΣ
ΝΑ ΡΙΞΟΥΜΕ ΤΑΥΤΟΧΡΟΝΑ ΤΑ ΒΙΒΛΙΑ ΜΑΣ ΣΤΟ ΠΑΤΩΜΑ.

Σκεφτήκαμε με τον Ράουλι πως ήταν σούπερ η ιδέα και προσπαθήσαμε να βρούμε έναν τρόπο να μιλάμε στην ίδια γλώσσα που μιλούσαν τα παιδιά στην ταινία.

Όμως δεν τα καταφέραμε και έτσι φτιάξαμε τη ΔΙΚΗ ΜΑΣ μυστική γλώσσα.

Και τη δοκιμάσαμε στο τραπέζι.

Αλλά μάλλον τον έσπασε τον κώδικά μας ο μπαμπάς του Ράουλι, γιατί βρέθηκα στο δρόμο για το σπίτι μου πριν καλά καλά σερβίρουν το επιδόρπιο. Και από τότε δε με έχουν ξανακαλέσει να κοιμηθώ εκεί το βράδυ.

Όταν ο Ράουλι ήρθε σπίτι μου σήμερα, έφερε φωτογραφίες από το ταξίδι του. Είπε πως το καλύτερο στις διακοπές ήταν που πήγαν στο ποτάμι και μου έδειξε κάτι θολές φωτογραφίες με πουλιά και τέτοια.

Εγώ όμως έχω πάει σε ένα θεματικό πάρκο με ποτάμι και ψεύτικα άγρια ζώα και δεινόσαυρους, που κανονικά ήταν ρομπότ, και ήταν φανταστικά.

Αν θέλετε τη γνώμη μου, οι γονείς του Ράουλι καλά θα έκαναν να τον πήγαιναν σε κάνα τέτοιο πάρκο, γιατί τσάμπα τα έδωσαν τα λεφτά τους.

Αλλά φυσικά, ο Ράουλι δεν είχε όρεξη να ακούει τις ΔΙΚΕΣ ΜΟΥ εμπειρίες, οπότε μάζεψε τις φωτογραφίες του και πήγε σπίτι.

Απόψε, μετά το βραδινό, η μαμά έβαλε τον μπαμπά να δουν μια ταινία που νοίκιασε, αλλά ο μπαμπάς ήθελε να κατεβεί στο υπόγειο, στη μακέτα του.

Και όταν η μαμά πήγε στην τουαλέτα, ο μπαμπάς έχωσε κάτι μαξιλάρια κάτω από τα σκεπάσματα στο κρεβάτι, για να νομίζει η μαμά πως τον είχε πάρει ο ύπνος.

Και η μαμά δεν κατάλαβε την απάτη, μέχρι που τέλειωσε η ταινία.

Τον έβαλε να πέσει για ύπνο, παρόλο που ήταν ακόμη 8.30.

Τώρα, στο κρεβάτι τους κοιμάται και ο Μάνι, γιατί φοβάται το τέρας που μένει στο λεβητοστάσιο.

Τρίτη

Νόμιζα πως είχα ξεμπερδέψει με τις ιστορίες από τις διακοπές του Ράουλι, αλλά έκανα λάθος. Χθες στο μάθημα, ο καθηγητής είπε στον Ράουλι να μας μιλήσει για τις διακοπές του. Έτσι, σήμερα ο Ράουλι ήρθε στο σχολείο, φορώντας τη γελοία στολή του. Αλλά το ΧΕΙΡΟΤΕΡΟ ήταν πως κάτι κορίτσια στο μεγάλο διάλειμμα τον άρχισαν στο «γλείψιμο».

Μετά σκέφτηκα πως τελικά δεν ήταν και τόσο άσχημη η φάση και άρχισα να περιφέρω τον Ράουλι στην τραπεζαρία, αφού έτσι κι αλλιώς ΔΙΚΟΣ ΜΟΥ κολλητός είναι.

Σάββατο

Τώρα τελευταία, ο μπαμπάς με πηγαίνει βόλτα κάθε Σάββατο. Στην αρχή νόμιζα πως απλώς ήθελε να κάνουμε παρέα σαν μπαμπάς με γιο, αλλά μετά συνειδητοποίησα πως απλώς δεν ήθελε να είναι σπίτι, όταν έκανε πρόβα με το συγκρότημα ο Ρόντρικ. Πόσο τον καταλαβαίνω, δε λέγεται!

Ο Ρόντρικ κάνει πρόβα με το χεβιμεταλάδικο συγκρότημά του κάθε σαββατοκύριακο.

Ο τραγουδιστής λέγεται Μπιλ Γουόλτερ και σήμερα πέσαμε πάνω του όταν βγαίναμε από το σπίτι με τον μπαμπά.

Ο Μπιλ είναι άνεργος και ζει ακόμη με τους γονείς του, παρόλο που είναι τριάντα πέντε.

Είμαι σίγουρος πως ο χειρότερος φόβος του μπαμπά είναι μήπως ο Ρόντρικ έχει τον Μπιλ ως πρότυπο και θέλει να του μοιάσει.

Έτσι, όποτε ο μπαμπάς βλέπει τον Μπιλ, έχει τις μαύρες του όλη μέρα.

Ο λόγος που ο Ρόντρικ πήρε τον Μπιλ στο συγκρότημα είναι επειδή τον είχαν ψηφίσει «ΚΑΛΥΤΕΡΟ ΥΠΟΨΗΦΙΟ ΡΟΚ ΣΤΑΡ», όταν ακόμη πήγαινε λύκειο.

ΚΑΛΥΤΕΡΟΣ ΥΠΟΨΗΦΙΟΣ ΡΟΚ ΣΤΑΡ

Μπιλ Γουόλτερ *Άννα Ρένταμ*

Όμως, ακόμη να το πετύχει ο Μπιλ! Άσε που έχω την εντύπωση πως κι αυτή η Άννα Ρένταμ είναι φυλακή τώρα.

Τέλος πάντων, πήγαμε βόλτα με τον μπαμπά σήμερα, αλλά, όταν γυρίσαμε, η πρόβα του Ρόντρικ δεν είχε τελειώσει ακόμη. Μέχρι το άλλο τετράγωνο ακούγονταν οι κιθάρες και τα ντραμς, και έξω από το σπίτι μας είχαν αράξει κάτι τύποι του λυκείου.

Μάλλον θα είχαν ακούσει τη μουσική και θα μαζεύτηκαν, όπως τα κουνούπια γύρω από το φως.

Όταν ο μπαμπάς τούς είδε έξω από το σπίτι, φρίκαρε ΤΕΛΕΙΩΣ!

Έτρεξε μέσα να καλέσει τους μπάτσους, αλλά η μαμά τον σταμάτησε.

Η μαμά είπε πως δεν έκαναν και τίποτα κακό τα παιδιά και απλώς «εκτιμούν» τη μουσική του Ρόντρικ. Καλά, τα πιστεύει αυτά που λέει; Γιατί, αν ακούσετε τη μουσική του Ρόντρικ, θα καταλάβετε τι εννοώ.

Ο μπαμπάς ούτε στιγμή δεν μπορούσε να ηρεμήσει με τους τύπους εκεί έξω.

Έτσι, πήγε πάνω και πήρε το φορητό του στερεοφωνικό. Ύστερα έβαλε ένα CD με κλασική μουσική και το άφησε να παίζει. Καλά, δε θα πιστέψετε πόσο γρήγορα ξεκουμπίστηκαν!

Ο μπαμπάς χάρηκε πολύ με το κατόρθωμά του. Αλλά η μαμά τον κατηγόρησε πως έδιωξε επίτηδες τους «θαυμαστές» του Ρόντρικ.

Κυριακή

Σήμερα, στο αυτοκίνητο για την εκκλησία, έκανα γκριμάτσες στον Μάνι, για να τον κάνω να γελάσει. Ειδικά με μία, ο Μάνι ξεράθηκε τελείως στα γέλια, μέχρι που του βγήκε η πορτοκαλάδα απ' τη μύτη.

Αλλά μετά η μαμά είπε:

Ε, με το που του 'βαλε η μαμά την ιδέα, αυτό ήταν. Βλέπετε γιατί κρατάω τις αποστάσεις μου με τον μικρό;

Κάθε φορά που προσπαθώ να σπάσω λίγη πλάκα μαζί του, το μετανιώνω.

Θυμάμαι που ήμουν μικρότερος και η μαμά με τον μπαμπά μού είπαν πως θα αποκτήσω αδελφούλη. Το πόσο χάρηκα ΔΕ ΛΕΓΕΤΑΙ!

Ύστερα από τόσα βασανιστήρια που είχα τραβήξει από τον Ρόντρικ, ήταν πλέον η σειρά μου να πάρω το αίμα μου πίσω.

Όμως η μαμά και ο μπαμπάς ήταν τελείως ΥΠΕΡπροστατευτικοί με τον Μάνι και δε με άφηναν ούτε δάχτυλο να του αγγίξω, ακόμη κι αν το άξιζε.

Όπως τις προάλλες, που πήγα να βάλω το ηλεκτρονικό μου, αλλά δεν έπαιζε. Το άνοιξα και είδα πως ο Μάνι είχε χώσει στην κονσόλα ένα σοκολατένιο μπισκότο.

Και φυσικά είπε την ίδια δικαιολογία που λέει ΠΑΝΤΑ, κάθε φορά που σπάει τα πράγματά μου.

Αλήθεια, ήθελα να του ρίξω μια γερή στη μούρη, αλλά με τη μαμά εδώ δεν μπορούσα να κάνω τίποτα.

Η μαμά είπε πως θα το «συζητούσε» με τον Μάνι και πήγαν κάτω. Έπειτα από μισή ώρα, επέστρεψαν και ο Μάνι κρατούσε κάτι στα χέρια.

Ήταν ένα μπαλάκι από αλουμινόχαρτο με κάμποσες οδοντογλυφίδες μπηγμένες πάνω του.

Μη με ρωτήσετε πώς γίνεται μια βλακεία να με κάνει να νιώσω καλύτερα για τη χαλασμένη κονσόλα μου. Πήγα να το πετάξω στα σκουπίδια, αλλά η μαμά δε με άφησε.

Με την πρώτη ευκαιρία, η βλακεία πάει στα σκουπίδια. Γιατί, να μου το θυμάστε, αν δεν το ξεφορτωθώ, με βλέπω να κάθομαι πάνω του κατά λάθος καμιά ώρα.

Αν και ο Μάνι με τρελαίνει ώρες ώρες, χαίρομαι που τον έχω για ΕΝΑ και μόνο λόγο. Από τότε που άρχισε να μιλάει, ο Ρόντρικ σταμάτησε να βάζει εμένα να πουλάω σοκολάτες για τον έρανο που κάνουν στο σχολείο του. Και, πιστέψτε με, το εκτιμώ ΑΠΕΡΙΟΡΙΣΤΑ.

Δευτέρα

Η μαντάμ Λεφρέρ μάς έβαλε να γράψουμε γράμματα στους αλληλογράφους μας σήμερα. Εμένα μου έτυχε κάποιος Μαμαντού Μονπιέρ και νομίζω ότι μένει κάπου στη Γαλλία.

Το ξέρω πως πρέπει να του γράψω στα γαλλικά και ο Μαμαντού να απαντήσει στα αγγλικά, που είναι η γλώσσα μου, αλλά το να γράφω σε ξένη γλώσσα μού είναι πολύ δύσκολο.

Οπότε, δε βλέπω το λόγο να ταλαιπωρούμαστε και οι δύο εδώ πέρα.

Αγαπητέ Μαμαντού,

Πρώτα απ' όλα, σκέφτομαι πως πιο εύκολο θα ήταν να γράφαμε και οι δυο στα αγγλικά.

Α, ναι, θυμάστε που σας είπα πως μπορεί να κατέληγα με το αγκαθωτό μπαλάκι του Μάνι στον πισινό; Ε, κατά κάποιον τρόπο είχα δίκιο.

Ήρθε σήμερα ο Ράουλι σπίτι να παίξουμε ηλεκτρονικά και τελικά κάθισε ΕΚΕΙΝΟΣ πάνω στο μπαλάκι.

Για να είμαι ειλικρινής, ένιωσα μια κάποια ανακούφιση. Το είχα χάσει το μπαλάκι εδώ και κάτι μέρες και χάρηκα που εμφανίστηκε ξανά.

Έτσι, μες στο γενικό χαμό, βρήκα την ευκαιρία να πετάξω στα σκουπίδια το «δώρο» του Μάνι. Νομίζω πως ούτε η μαμά θα είχε αντίρρηση αυτή τη φορά.

Τετάρτη

Ο Ρόντρικ πρέπει να παραδώσει αύριο την εργασία στα φιλολογικά και η μαμά τον έβαλε να την κάνει μόνος του επιτέλους. Ο Ρόντρικ δεν ξέρει να πληκτρολογεί, οπότε γράφει σε χαρτί τις εργασίες του και μετά τις δίνει στον μπαμπά να τις περάσει στον υπολογιστή.

Αλλά ο μπαμπάς τις διαβάζει και βρίσκει διάφορα λάθη.

Τον Ρόντρικ δεν τον νοιάζουν τα λάθη, οπότε λέει στον μπαμπά να πάει να το πληκτρολογήσει όπως είναι.

Αλλά ο μπαμπάς δεν αντέχει να πληκτρολογεί λάθη, κι έτσι του διορθώνει την εργασία. Και ύστερα από μια-δυο μέρες, έρχεται σπίτι ο Ρόντρικ με το βαθμό και κάνει σαν να την έγραψε μόνος του την εργασία.

Είναι κάτι χρόνια τώρα που γίνεται αυτή η ιστορία, οπότε ήρθε η ώρα να βάλει ένα τέλος η μαμά. Έτσι, είπε στον μπαμπά πως ο Ρόντρικ θα κάνει ΜΟΝΟΣ του την εργασία του αυτή τη φορά και να μην τον βοηθήσει καθόλου.

Ο Ρόντρικ πήγε στον υπολογιστή το βράδυ και τον άκουγα που πατούσε ένα πλήκτρο το λεπτό.

Ο μπαμπάς είχε αρχίσει να τα παίρνει με τους ρυθμούς του Ρόντρικ. Άσε που ο Ρόντρικ έβγαινε κάθε τρεις και λίγο για να ρωτήσει τον μπαμπά διάφορες βλακείες.

Ύστερα από μια-δυο ώρες, ο μπαμπάς «έσπασε».

Έτσι, περίμενε να πέσει η μαμά για ύπνο και πήγε να πληκτρολογήσει εκείνος την εργασία του Ρόντρικ. Όπως φαίνεται, το σύστημα του Ρόντρικ είναι ασφαλές προς το παρόν.

Έχω κι εγώ να γράψω μια εργασία για αύριο, αλλά δε με πολυνοιάζει.

Έχω να γράψω για ένα βιβλίο που διάβασα και έχω βρει το μυστικό κόλπο για τέτοιες εργασίες εδώ και καιρό. Δηλαδή, απλώς γράφω για το ίδιο βιβλίο επί πέντε χρόνια: το *Ο Σέρλοκ Σάμι Χτυπάει Διάνα!*

Μέσα σ' αυτό το βιβλίο έχει κάπου είκοσι διηγήματα, αλλά εγώ αναφέρομαι στο καθένα σαν να είναι ξεχωριστό βιβλίο και ο καθηγητής ούτε που το παίρνει χαμπάρι.

Αυτά τα διηγήματα είναι όλα ίδια πάνω κάτω. Κάποιος μεγάλος κάνει ένα έγκλημα και μετά ο Σέρλοκ Σάμι το εξιχνιάζει και ρεζιλεύει τον εγκληματία.

Έχω γίνει εξπέρ σε τέτοιες εργασίες πια. Το μόνο που έχεις να κάνεις είναι να γράψεις ακριβώς αυτό που θέλει να ακούσει ο καθηγητής και καθάρισες.

Πω, πω! Αυτός ο Σέρλοκ Σάμι
είναι τόσο έξυπνος, που πάω στοίχημα
πως συμβαίνει επειδή διαβάζει
πολλά βιβλία!

Όπως τα λες
είναι!

Είχε αρκετές δύσκολες λέξεις το βιβλίο,
αλλά τις έψαξα στο λεξικό και τώρα
ξέρω τι σημαίνουν.

Είσαι δηλαδή
κι εσύ «λαγωνικό»!

A+

ΟΚΤΩΒΡΙΟΣ

Δευτέρα

Ήταν πέρσι στο σχολείο μας άλλος ένας φίλος μου που τον έλεγαν Τσίραγκ Γκούπτα, αλλά μετακόμισε τον Ιούνιο. Είχε κάνει ένα μεγάλο αποχαιρετιστήριο πάρτι και ήρθε όλη η γειτονιά. Αλλά μάλλον η οικογένειά του άλλαξε γνώμη, γιατί ξαναείδα τον Τσίραγκ στο σχολείο σήμερα.

Όλοι χάρηκαν που τον συνάντησαν, αλλά κάποιοι από μας αποφασίσαμε να σπάσουμε λίγη πλάκα μαζί του, προτού τον υποδεχτούμε πάλι στο σχολείο.

Έτσι, κάναμε απλώς πως δεν είχε έρθει ποτέ.

Πρέπει να παραδεχτώ πως είχε πολλή πλάκα.

Στο μεγάλο διάλειμμα στην τραπεζαρία, ο Τσίραγκ κάθισε δίπλα μου. Είχα στην τσάντα μου ένα μπισκότο σοκολάτα και συνέχισα την πλάκα.

Εντάξει, ίσως να ήταν και λίγο απάνθρωπο αυτό που έκανα.

Μάλλον θα τον αφήσουμε στην ησυχία του αύριο. Αλλά και πάλι, η φάση με τον Αόρατο Τσίραγκ θα μπορούσε κάλλιστα να εξελιχθεί στο επόμενο «ΠΡΙΤΣ».

Τρίτη

Το αστείο με τον Αόρατο Τσίραγκ συνεχίζεται και τώρα έχει τσιμπήσει όλη η τάξη. Δε θέλω να το πάρω πάνω μου, αλλά νομίζω πως τις ψήφους για τον Κλόουν της Τάξης τις έχω στο τσεπάκι μου αυτή τη φορά.

Την ώρα της Φυσικής, ο καθηγητής μού είπε να μετρήσω τα παιδιά για να δει σε πόσα ζευγάρια θα μας χωρίσει για το πείραμα που θα κάναμε.

Οπότε έδωσα άλλη μια παράσταση και δε μέτρησα τον Τσίραγκ.

Ε, αυτό κι αν τον κούρδισε για τα καλά. Ο Τσίραγκ ανέβηκε στο θρανίο και έβαλε τις φωνές, οπότε ήταν δύσκολο να κάνω πως δεν τον βλέπω.

Ήθελα να του εξηγήσω ότι δεν είπαμε ποτέ πως δεν ήταν άνθρωπος. Απλώς είπαμε πως ήταν ΑΟΡΑΤΟΣ άνθρωπος. Αλλά κράτησα το στόμα μου κλειστό.

Πριν πείτε ότι είμαι κακός φίλος έτσι που πειράζω τον Τσίραγκ, αφήστε με να υπερασπιστώ τον εαυτό μου, εντάξει; Λοιπόν, είμαι πιο κοντός από το περίπου 95% της τάξης, οπότε, όταν μου δίνεται η ευκαιρία να πειράξω επιτέλους κι εγώ κάποιον, δεν έχω και πολλές επιλογές.

Αφήστε που δεν ευθύνομαι εγώ 100% γι' αυτή την ιδέα. Αν θέλετε το πιστεύετε, αλλά από τη μαμά μου την πήρα. Όταν ήμουν μικρός, έπαιζα κάτω από το τραπέζι και η μαμά μπήκε στην κουζίνα.

Δεν ξέρω πώς μου 'ρθε, αλλά αποφάσισα να κάνω πλάκα στη μαμά και να μη βγω.

Η μαμά γύρισε όλο το σπίτι φωνάζοντάς με. Νομίζω πως με είχε δει κάτω από το τραπέζι, αλλά έκανε πως δεν ήξερε πού είμαι.

Πολύ αστείο μού φάνηκε το παιχνίδι και θα έμενα κι άλλο κρυμμένος, αλλά η μαμά με λύγισε τελικά, όταν είπε πως θα έδινε τις τσίχλες μου στον Ρόντρικ.

Άρα, άμα ψάχνετε τον αρχικό υπαίτιο για το αστείο με τον Αόρατο Τσίραγκ, τώρα τον μάθατε.

Πέμπτη

Χθες ο Τσίραγκ παραιτήθηκε από την προσπάθεια να μας πείσει να του μιλήσουμε. Αλλά σήμερα ανακάλυψε το αδύνατο σημείο μας.

Τον Ράουλι τον είχα ξεχάσει ΤΕΛΕΙΩΣ. Όταν πρωτοάρχισε η πλάκα, φρόντισα να μην είναι πουθενά κοντά, γιατί ήμουν σίγουρος πως θα τη χάλαγε τη φάση.

Αλλά παρασύρθηκα από την επιτυχία μου και χαλάρωσα.

Ο Τσίραγκ τον είχε από κοντά τον Ράουλι και παραλίγο να τον «λυγίσει».

Ήξερα πως ο Ράουλι θα το άνοιγε το στόμα του, άρα έπρεπε να δράσω αμέσως. Είπα σε όλους πως υπήρχε ένα ιπτάμενο λουκάνικο πάνω από το τραπέζι μας και ύστερα το πήρα και το έκανα δυο χαψιές.

Οπότε, χάρη στην εξυπνάδα μου, η πλάκα μπόρεσε να συνεχιστεί.

Όμως ο Τσίραγκ εκεί τα πήρε για τα καλά. Άρχισε να μου βαράει το χέρι, αλλά εγώ έπρεπε να κάνω πως δεν το πρόσεξα.

Κάτι όχι και τόσο εύκολο. Γιατί μπορεί να είναι κοντός ο Τσίραγκ, αλλά ξέρει να βαράει.

Παρασκευή
Μάλλον ο Τσίραγκ πήγε και παραπονέθηκε σε κάποιον καθηγητή για το αστειάκι μου, γιατί σήμερα με κάλεσαν στο γραφείο.

Όταν έφτασα στο γραφείο του Γυμνασιάρχη Ρόι, τον είδα πολύ θυμωμένο. Τα είχε μάθει όλα για το πώς άρχισε η πλάκα και μου έβγαλε λόγο για το «σεβασμό» και την «αξιοπρέπεια» και διάφορα τέτοια.

Ευτυχώς, όμως, ο κύριος Ρόι είχε κάνει ένα πολύ σοβαρό λάθος: στην ταυτότητα του ατόμου για το οποίο προοριζόταν η πλάκα. Έτσι, η φάση της συγγνώμης έγινε παιχνιδάκι.

Ο κύριος Ρόι έδειξε πολύ ικανοποιημένος που ζήτησα συγγνώμη και με άφησε να φύγω χωρίς αποβολή.

Είχα ακούσει από άλλους πως, όταν σε συγχωρεί ο κύριος Ρόι, σου δίνει και γλειφιτζούρι. Και τώρα μπορώ να σας πω από πρώτο χέρι πως οι φήμες είναι σωστές.

Σάββατο
Αύριο είναι το πάρτι για τα γενέθλια του Ράουλι και η μαμά με πήγε να του πάρω δώρο. Διάλεξα ένα σούπερ ηλεκτρονικό, που μόλις είχε κυκλοφορήσει, και το έδωσα στη μαμά να το πληρώσει. Αλλά εκείνη είπε πως έπρεπε να το πάρω με ΔΙΚΑ ΜΟΥ χρήματα.

Της είπα πως, πρώτον, είχα μηδέν χρήματα.

Και δεύτερον, αν ΕΙΧΑ λεφτά, δε θα τα χάλαγα για τον ΡΑΟΥΛΙ.

Καθόλου δε χάρηκε η μαμά μ' αυτό που άκουσε, αλλά δε φταίω ΕΓΩ που είμαι άφραγκος. Εντάξει, είχα πιάσει δουλειά το καλοκαίρι, αλλά με κορόιδεψαν και δεν κέρδισα φράγκο.

Έχουμε κάτι γείτονες, τους Φούλερ, που πάνε διακοπές κάθε καλοκαίρι.

Συνήθως αφήνουν το σκυλί τους, την Πριγκίπισσα, στο κυνοτροφείο, αλλά φέτος είπαν πως θα μου έδιναν πέντε δολάρια τη μέρα να την ταΐζω και να τη βγάζω βόλτα. Έτσι σκέφτηκα πως θα έβγαζα κάμποσα λεφτά για ολόκληρο βουνό ηλεκτρονικά παιχνίδια.

Έλα, όμως, που η Πριγκίπισσα είναι τελείως ντροπαλή και δε θέλει να κάνει την ανάγκη της μπροστά σε ξένους! Έτσι πέρναγα όλη μέρα στο λιοπύρι, να περιμένω το βλαμμένο το σκυλί να τελειώσει.

Περίμενα, περίμενα, αλλά τίποτα δε γινόταν, οπότε επιστρέφαμε σπίτι.

Και όποτε έφευγα απ' το σπίτι, η Πριγκίπισσα τα 'κανε στο χολ και μετά έπρεπε να τα καθαρίζω την επόμενη μέρα. Προς τα τέλη του καλοκαιριού, μου 'ρθε μια έξυπνη ιδέα. Σκέφτηκα πως πιο εύκολο θα ήταν να καθαρίσω μια και καλή τα πάντα, αντί να το κάνω κάθε μέρα.

Έτσι, της έβαζα να φάει και την άφηνα να κάνει την ανάγκη της στο χολ. Αυτό κράτησε δυο βδομάδες.

Και μια μέρα, πριν γυρίσουν οι Φούλερ, ανηφόρισα σπίτι τους με τα καθαριστικά μου.

Έλα όμως που οι Φούλερ είχαν αποφασίσει να γυρίσουν μια μέρα ΝΩΡΙΤΕΡΑ!

Μάλλον δεν ήξεραν πως το ευγενικό ήταν να πάρουν ένα τηλέφωνο και να μου το πουν.

Απόψε η μαμά κάλεσε σε συμβούλιο εμένα και τον Ρόντρικ. Είπε πως και οι δυο μας παραπονιόμαστε συνέχεια πως δεν έχουμε λεφτά, οπότε σκέφτηκε έναν τρόπο να τα κερδίσουμε.

Ύστερα, έβγαλε κάτι ψεύτικα λεφτά που είχε μάλλον σηκώσει από κάποιο παλιό επιτραπέζιο παιχνίδι και εξήγησε πως είναι «μαμαχίλιαρα». Μετά πρόσθεσε πως μπορούμε να κερδίσουμε μαμαχίλιαρα κάνοντας διάφορες δουλειές και καλές πράξεις και τέτοια, και να τα ανταλλάξουμε με ΑΛΗΘΙΝΑ λεφτά.

Μας έδωσε λοιπόν από δέκα για ξεκίνημα. Ξαφνικά νόμιζα πως είχα πιάσει την καλή. Αλλά ύστερα μας εξήγησε πως το κάθε μαμαχίλιαρο αντιστοιχούσε μόλις σε ένα δολάριο.

Μας έδειξε πώς να κάνουμε οικονομία στα μαμαχίλιαρά μας και συμπλήρωσε ότι, αν έχουμε υπομονή, θα μπορέσουμε να αγοράσουμε κάτι καλό κάποτε.

Όμως ο Ρόντρικ εξαργύρωσε αμέσως όλο το μερίδιό του, πριν καν τελειώσει τη φράση της η μαμά.

Και έφυγε αστραπή να χαλάσει τα λεφτά του στα χεβιμεταλάδικα περιοδικά.

Αν ο Ρόντρικ θέλει να σπαταλάει έτσι τα λεφτά του, πρόβλημά του. Εγώ θα φερθώ πολύ έξυπνα με τα ΔΙΚΑ ΜΟΥ μαμαχίλιαρα.

Κυριακή

Σήμερα ήταν το πάρτι του Ράουλι και το έκανε σε έναν παιδότοπο. Είμαι σίγουρος πως θα είχα περάσει πολύ καλά, αν ήμουν εφτά χρόνων.

Γιατί αυτός ήταν ο μέσος όρος ηλικίας των καλεσμένων του Ράουλι. Κάλεσε όλη την ομάδα του καράτε και τα περισσότερα παιδιά πήγαιναν ακόμη δημοτικό. Μακάρι να 'ξερα πως θα ήταν έτσι το πάρτι για να το έχω αποφύγει.

Αρχίσαμε με κάτι ηλίθια παιχνίδια όπως το Δεν Περνάς Κυρα-Μαρία και τέτοια. Τελευταίο παίξαμε κρυφτό.

Το σχέδιό μου ήταν να κρυφτώ στο σκάμμα με τα μπαλάκια και να μη βγω, μέχρι να τελειώσει το πάρτι. Αλλά με είχε προλάβει ένα ΑΛΛΟ παιδί.

Που, όπως αποδείχτηκε, είχε ξεμείνει εκεί μέσα από το προηγούμενο πάρτι, που είχε τελειώσει πριν από μια ώρα.

Μάλλον κι αυτός θα είχε πάει να κρυφτεί εκεί μέσα και δεν τον βρήκε ποτέ κανείς.

Έτσι το πάρτι του Ράουλι μπήκε στην αναμονή μέχρι να εντοπιστούν οι γονείς του πιτσιρικά.

Μόλις ξεκαθάρισε η κατάσταση, φάγαμε τούρτα και χαζεύαμε τον Ράουλι που άνοιγε τα δώρα του. Πήρε κυρίως παιχνίδια, αλλά δεν έδειξε να χαλάστηκε ιδιαίτερα.

Και ύστερα άνοιξε και το δώρο των γονιών του. Ε, δε θα το πιστέψετε! Ήταν ένα ΗΜΕΡΟΛΟΓΙΟ.

Σαν το δικό μου. Και σπάστηκα γιατί ξέρω πως ο Ράουλι το ζήτησε από τους γονείς του για να είναι σαν εμένα. Μόλις το άνοιξε, αναφώνησε:

Οπότε κι εγώ δεν κρατήθηκα και του είπα αμέσως την άποψή μου για το θέμα: με μια τσιμπιά στο μπράτσο. Κι ας ήταν τα γενέθλιά του.

Ωστόσο, ένα έχω να πω. Είχα τσατιστεί με τη μαμά μου που μου είχε πάρει κοριτσίστικο ημερολόγιο, αλλά όταν είδα του Ράουλι... ε, μου πέρασε ο θυμός.

Τώρα τελευταία, ο Ράουλι με αντιγράφει ασύστολα. Διαβάζει τα ίδια κόμικς μ' εμένα, πίνει το ίδιο αναψυκτικό και κάνει ό,τι κάνω εγώ. Ωραία, θα μπορούσα να νιώθω «κολακευμένος» με τη φάση, αλλά με έχει φρικάρει τελείως.

Πριν από μια-δυο μέρες, έκανα ένα πείραμα να δω μέχρι πού μπορεί να φτάσει ο Ράουλι.

Γύρισα το ένα μπατζάκι μου μέχρι το γόνατο και έδεσα μια μπαντάνα στον αστράγαλο και πήγα σχολείο.

Ε, την επόμενη μέρα, ο Ράουλι ήρθε σχολείο ντυμένος ακριβώς σαν εμένα.

Έτσι κατέληξα για δεύτερη φορά σε μια βδομάδα στο γραφείο του γυμνασιάρχη.

Δευτέρα
Νόμιζα πως την είχα βγάλει καθαρή με την ιστορία του Αόρατου Τσίραγκ. Όμως έκανα λάθος.

Απόψε, ο μπαμπάς του Τσίραγκ πήρε τηλέφωνο τη μαμά μου και της είπε για την πλάκα που κάναμε στο γιο του και πως ήταν δική μου ιδέα.

Όταν η μαμά με ανέκρινε, της απάντησα πως δεν είχα ιδέα για τι πράγμα μιλούσε ο κύριος Γκούπτα.

Μετά η μαμά με πήγε στο σπίτι του Ράουλι για να ακούσει και τη ΔΙΚΗ ΤΟΥ άποψη.

Ευτυχώς, ήμουν προετοιμασμένος για κάτι τέτοιο. Είχα ήδη δασκαλέψει τον Ράουλι τι να πει, αν μας τσάκωναν. Δηλαδή να αρνηθούμε και οι δύο τα πάντα και όλα θα πήγαιναν καλά.

Όμως με το που έκανε η μαμά την πρώτη ερώτηση, ο Ράουλι λύγισε.

Έτσι, μετά την επίσκεψή μας στο σπίτι του Ράουλι, η μαμά με πήγε στο σπίτι του Τσίραγκ για να ζητήσω συγγνώμη. Και, πιστέψτε με, ΑΥΤΟ δεν είχε καθόλου πλάκα.

Ο κύριος Γκούπτα δεν ενθουσιάστηκε ιδιαίτερα με τη συγγνώμη μου, αλλά, αν θέλετε το πιστεύετε, ο Τσίραγκ το πήρε πολύ χαλαρά το θέμα.

Μόλις ζήτησα συγγνώμη, ο Τσίραγκ με κάλεσε μέσα να παίξουμε ηλεκτρονικά. Νομίζω πως χάρηκε τόσο πολύ που επιτέλους του μιλούσαν οι συμμαθητές του, που απλώς αποφάσισε να με συγχωρέσει.

Οπότε, τον συγχωρώ κι εγώ.

Τρίτη

Αν και ο Τσίραγκ μού τη χάρισε τελικά χθες βράδυ, η μαμά δεν είχε τελειώσει ακόμη μαζί μου.

Δεν ήταν τόσο θυμωμένη για την πλάκα στον Τσίραγκ, όσο για το γεγονός ότι της είχα πει ΨΕΜΑΤΑ.

Έτσι μου είπε πως θα με έβαζε τιμωρία για ένα ΜΗΝΑ, αν με έπιανε να ξαναλέω ψέματα.

Που σημαίνει πως πρέπει να έχω τα μάτια μου δεκατέσσερα, γιατί η μαμά δεν ξεχνάει. Ειδικά για τις σκανταλιές μου, έχει μνήμη ελέφαντα.

(ΠΡΩΤΗ ΦΟΡΑ: ΠΡΙΝ ΑΠΟ ΕΞΙ ΧΡΟΝΙΑ)

Πέρσι, η μαμά με έπιασε να λέω ψέματα και την πλήρωσα χοντρά.

Είχε φτιάξει ένα κέικ-σπιτάκι και το είχε βάλει πάνω στο ψυγείο. Είπε πως κανείς δεν έπρεπε να το αγγίξει μέχρι τα Χριστούγεννα.

Έλα όμως που δεν κρατιόμουν. Έτσι, κάθε βράδυ, κατέβαινα κρυφά και έκοβα κι από ένα κομματάκι. Προσπαθούσα να τρώω μόνο ένα τη φορά, για να μην το προσέξει η μαμά.

Παραήταν δύσκολο να τρώω μονάχα ένα κερασάκι ή ένα σοκολατάκι κάθε βράδυ, αλλά τα κατάφερα.

Δεν είχα ιδέα πόσα κομμάτια είχα κόψει, μέχρι που ήρθαν τα Χριστούγεννα και η μαμά κατέβασε το γλυκό απ' το ψυγείο.

Όταν με κατηγόρησε πως είχα φάει όλη τη γαρνιτούρα, εγώ το αρνήθηκα. Αλλά μακάρι να είχα ομολογήσει αμέσως, γιατί την πάτησα για τα καλά.

Η μαμά είχε μόλις αναλάβει μια στήλη με συμβουλές για γονείς στην τοπική εφημερίδα και όλο έψαχνε θέματα. Έτσι, η ιστορία με το κέικ την έκανε ηρωίδα στη γειτονιά.

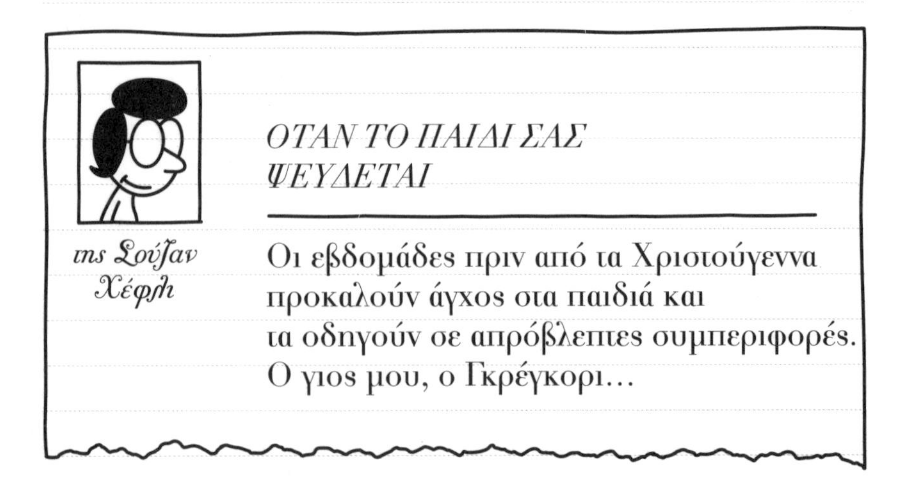

ΟΤΑΝ ΤΟ ΠΑΙΔΙ ΣΑΣ ΨΕΥΔΕΤΑΙ

της Σούζαν Χέφλη

Οι εβδομάδες πριν από τα Χριστούγεννα προκαλούν άγχος στα παιδιά και τα οδηγούν σε απρόβλεπτες συμπεριφορές. Ο γιος μου, ο Γκρέγκορι…

Τώρα που το ξανασκέφτομαι, η μαμά μου δεν είναι και τελείως αθώα σε ό,τι έχει να κάνει με την έννοια ψέματα.

Θυμάμαι που ήμουν μικρός και είχε ανακαλύψει πως δεν έπλενα τα δόντια μου κάθε βράδυ. Έτσι, έκανε πως παίρνει τηλέφωνο τον οδοντίατρο. Και αυτό το τηλεφώνημα είναι και ο λόγος που πλέον πλένω τα δόντια μου τέσσερις φορές τη μέρα.

Παρασκευή

Τρεις μέρες έχουν περάσει και την κράτησα την υπόσχεσή μου. Ούτε ένα ψεματάκι δεν έχω πει στη μαμά και δεν είναι τελικά και πολύ δύσκολο.

Άσε που είναι και απελευθερωτικό. Βρέθηκα σε δυο-τρεις καταστάσεις τελευταία και ήμουν πολύ πιο ειλικρινής απ' ό,τι πριν από μια βδομάδα.

Να, για παράδειγμα, είχα μια ωραία συζήτηση με το γείτονά μου, τον Σον Σνέλα.

Και χθες, ο παππούς του Ράουλι είχε γενέθλια.

Οι περισσότεροι άνθρωποι δε φαίνεται να εκτιμούν ιδιαίτερα την ειλικρίνεια, πάντως.

Σάββατο
Σήμερα σήκωσα το τηλέφωνο και ήταν η κυρία Τζίλμαν που ήθελε τη μαμά. Έκανα να της δώσω το ακουστικό, αλλά μου ψιθύρισε να πω ότι δεν ήταν σπίτι.

Δεν κατάλαβα αν η μαμά ήθελε απλώς να με δοκιμάσει, για να δει αν θα πω ψέματα, αλλά εγώ αποκλείεται να την πατούσα έτσι εύκολα.

Οπότε την έβγαλα από το σπίτι, πριν πω λέξη στην κυρία Τζίλμαν.

Και από το ύφος της μαμάς όταν ξαναμπήκε, κατάλαβα πως δε θα επέμενε και πολύ σε τέτοιου είδους ειλικρίνειες πια.

Δευτέρα

Σήμερα είχαμε Επαγγελματικό Προσανατολισμό στο σχολείο. Κάθε χρόνο μάς μαζεύουν για να αρχίσουμε να σκεφτόμαστε το μέλλον μας.

Έφεραν κάμποσους μεγάλους που έκαναν διάφορες δουλειές. Νομίζω πως θέλουν να μας δείξουν τι δουλειές υπάρχουν, για να βρούμε τι θα μας άρεσε να κάνουμε όταν μεγαλώσουμε.

Όμως αυτό που συμβαίνει ΤΕΛΙΚΑ είναι πως βλέπεις τι δουλειές θα απέρριπτες τελείως.

Μόλις τέλειωσαν οι παρουσιάσεις, μας έδωσαν κάτι ερωτηματολόγια. Η πρώτη ερώτηση ήταν «Πού βλέπεις τον εαυτό σου έπειτα από δεκαπέντε χρόνια;»

Εγώ ξέρω ΑΚΡΙΒΩΣ πού με βλέπω σε δεκαπέντε χρόνια: στην πισίνα της βιλάρας μου να μετράω τα λεφτά μου. Όμως δεν είχε πουθενά κουτάκι για τέτοια απάντηση.

Τα ερωτηματολόγια προβλέπουν, υποτίθεται, τι δουλειά θα έχεις όταν μεγαλώσεις. Όταν τέλειωσα, κοίταξα ποια δουλειά μού αντιστοιχούσε και είδα «Ταμίας τράπεζας».

Μάλλον κάτι δεν έχουν κάνει καλά μ' αυτά τα ερωτηματολόγια, γιατί δεν ξέρω κανέναν ταμία που να είναι δισεκατομμυριούχος.

Κι άλλα παιδιά δε χάρηκαν καθόλου με τις δουλειές που τους βγήκαν. Αλλά ο καθηγητής είπε να μην τα παίρνουμε και τόσο στα σοβαρά αυτά τα αποτελέσματα.

Ναι, άντε πες το στον Έντουαρντ Μίλι αυτό. Πέρσι βγήκε «Εργαζόμενος στην Καθαριότητα» και οι καθηγητές άρχισαν να του φέρονται διαφορετικά.

Ο Ράουλι βγήκε «νοσοκόμος» και δε φάνηκε να χαλιέται. Και κάτι κορίτσια βγήκαν νοσοκόμες και πήγαν να του μιλήσουν μετά το μάθημα.

Του χρόνου, να θυμηθώ να καθίσω δίπλα στον Ράουλι για να αντιγράψω τις απαντήσεις του.

Σάββατο

Σήμερα καθόμασταν σπίτι με τον Ρόντρικ και η μαμά μάς έστειλε στης γιαγιάς να μαζέψουμε τα φύλλα από τον κήπο.

Η μαμά είπε πως θα μας δώσει από ένα μαμαχίλιαρο για κάθε σακούλα που θα γεμίζαμε. Και η γιαγιά είπε πως θα μας φτιάξει ζεστή σοκολάτα όταν τελειώσουμε.

Δεν έχω καμιά όρεξη να δουλεύω Σάββατα, αλλά έχω ανάγκη από λίγα μετρητά. Και η σοκολάτα της γιαγιάς είναι άπαιχτη. Οπότε πήραμε τσουγκράνες και πλαστικές σακούλες από το γκαράζ και πήγαμε στη γιαγιά.

Εγώ ανέλαβα τη μια μεριά του κήπου και ο Ρόντρικ την άλλη. Αλλά ύστερα από δέκα λεπτά, ήρθε και μου είπε πως δεν την έκανα σωστά τη δουλειά.

Είπε πως ΠΑΡΑέβαζα πολλά φύλλα στη σακούλα και πως, αν απλώς την έδενα λίγο πιο χαμηλά, θα τέλειωνα νωρίτερα.

Να, τέτοιες συμβουλές πρέπει να παίρνει κανείς από ένα μεγάλο αδελφό.

Όταν, λοιπόν, μου έδειξε το κόλπο, οι σακούλες γέμιζαν αστραπή. Για την ακρίβεια, μας τέλειωσαν μέσα σε μισή ώρα.

Η γιαγιά δε χάρηκε και πολύ που είχε να μας φτιάξει ζεστή σοκολάτα μετά, αλλά έτσι έλεγε η συμφωνία μας.

Δευτέρα

Από τη μέρα του Επαγγελματικού Προσανατολισμού, ο Ράουλι κάθεται συνέχεια μαζί με κάτι κορίτσια στην τραπεζαρία. Νομίζω πως η παρέα τους είναι κάτι σαν τις Νοσοκόμες του Μέλλοντος.

Μη με ρωτήσετε για τι θέματα συζητάνε. Όλο ψιθυρίζουν και χαχανίζουν σαν πρωτάκια.

Το καλό που τους θέλω μόνο: να μη μιλάνε για μένα.

Θυμάστε που σας είχα πει ότι ο Ρόντρικ είναι ο μόνος που γνωρίζει το ρεζιλίκι μου πέρσι το καλοκαίρι; Ε, και ο Ράουλι ξέρει το ΔΕΥΤΕΡΟ πιο ταπεινωτικό πράγμα που μου έχει συμβεί και δεν έχω καμιά όρεξη να το ξεθάψει.

Όταν πηγαίναμε πέμπτη, είχαμε μια εργασία στα ισπανικά, ένα αστείο σκετσάκι μπροστά στην τάξη. Εμένα η δασκάλα με είχε βάλει με τον Ράουλι.

Έπρεπε να κάνουμε το σκετσάκι στα ισπανικά. Ο Ράουλι με ρώτησε τι θα έκανα για να κερδίσω μια σοκολάτα και εγώ είπα πως θα στεκόμουν ανάποδα.

Όταν όμως προσπάθησα να κάνω κατακόρυφο, γλίστρησα και έσκασα με τον πισινό στον τοίχο.

Και άνοιξα τρύπα! Που το σχολείο δε φρόντισε να την κλείσει ποτέ, οπότε, μέχρι να τελειώσω το δημοτικό, το αποτύπωμα του πισινού μου ήταν χαραγμένο για πάντα σ' εκείνη την τάξη.

Και αν ο Ράουλι διαδώσει αυτή την ιστορία, πιστέψτε με, όλος ο κόσμος θα μάθει ποιος έφαγε το Τυρί.

Τετάρτη

Σήμερα σκέφτηκα πως, αν ήθελα να μάθω για τι πράγματα μιλούσαν ο Ράουλι με τα κορίτσια, το μόνο που είχα να κάνω ήταν να διαβάσω το ΗΜΕΡΟΛΟΓΙΟ του. Πάω στοίχημα πως θα γράφει όλες τις ζουμερές λεπτομέρειες εκεί μέσα.

Το πρόβλημα όμως είναι πως το έχει ΚΛΕΙΔΩΜΕΝΟ. Άρα, και να του το πάρω, δε θα μπορώ να το ανοίξω. Αλλά μετά, σκέφτηκα κάτι άλλο. Να αγοράσω ακριβώς το ΙΔΙΟ ημερολόγιο και έτσι να αποκτήσω το ίδιο κλειδί.

Πήγα, λοιπόν, στο μαγαζί απόψε και πήρα το τελευταίο που είχε στο ράφι. Το καλό που του θέλω, ν' αξίζει τα λεφτά του, γιατί εξαργύρωσα τα μισά μου μαμαχίλιαρα για χάρη του. Και δε νομίζω πως ο μπαμπάς χάρηκε που μου αγόρασε ένα ημερολόγιο *Γλυκά Μυστικά*.

Πέμπτη

Σήμερα, μετά τη γυμναστική, είδα πως ο Ράουλι είχε παρατήσει κατά λάθος το ημερολόγιό του στα αποδυτήρια. Το πεδίο ήταν ελεύθερο και έτσι το ξεκλείδωσα με το νέο μου κλειδί.

Το άνοιξα και άρχισα το διάβασμα.

Αγαπημένο μου ημερολόγιο,

Σήμερα έπαιξα πάλι με τους Δεινόσαυρους Μαχητές μου. Μηχανόσαυρος εναντίον Τρικερόσαυρου και ο Μηχανόσαυρος δάγκωσε την ουρά του Τρικερόσαυρου.

ΑΟΥ!
ΑΟΥΤΣ!

Και μετά ο Τρικερόσαυρος
γύρισε και είπε:
«Α, έτσι μου 'σαι,
πάρε κι αυτήν»,
και ο Μηχανόσαυρος
έφαγε μια στον ποπό.

Ξεφύλλισα και το υπόλοιπο τετράδιο να δω αν είχε γραμμένο πουθενά το όνομά μου, αλλά όλο τις ίδιες βλακείες έγραφε.

Και αφού είδα τι ακριβώς περιείχε ο εγκέφαλος του Ράουλι, άρχισα να αναρωτιέμαι αν έκανα καλά που τον είχα φίλο.

Σάββατο
Τα πράγματα στο σπίτι πάνε μια χαρά την τελευταία βδομάδα. Ο Ρόντρικ έχει γρίπη, οπότε δεν έχει ενέργεια να με πειράζει. Και με τον Μάνι στο σπίτι της γιαγιάς, έχω όλη την τηλεόραση δική μου.

Χθες, η μαμά κι ο μπαμπάς μάς ανακοίνωσαν κάτι που δεν το περιμέναμε. Θα έφευγαν, και εγώ με τον Ρόντρικ θα μέναμε μόνοι στο σπίτι για μια νύχτα.

Σπουδαίο το νέο, γιατί ΠΟΤΕ δε μας είχαν αφήσει μόνους εμένα και τον Ρόντρικ.

Νομίζω πως φοβούνται ότι, αν φύγουν, ο Ρόντρικ θα κάνει πάρτι και θα διαλύσει το σπίτι.

Όμως με τον Ρόντρικ γριπιασμένο, μάλλον βρήκαν την ευκαιρία να την κοπανήσουν. Αφού φυσικά ακούσαμε μια διάλεξη περί «υπευθυνότητας» και «εμπιστοσύνης».

Ε, δεν είχε περάσει δευτερόλεπτο που έφυγαν και ο Ρόντρικ πετάχτηκε από τον καναπέ και έπιασε το τηλέφωνο. Πήρε φίλους και γνωστούς και τους είπε πως κάνει πάρτι.

Σκέφτηκα να πάρω κι εγώ τη μαμά και τον μπαμπά, να τους πω τι σκάρωνε ο Ρόντρικ, αλλά δεν είχα ξαναβρεθεί σε πάρτι του λυκείου και ήμουν περίεργος. Αποφάσισα να κρατήσω το στόμα μου κλειστό και να δω τι θα γίνει.

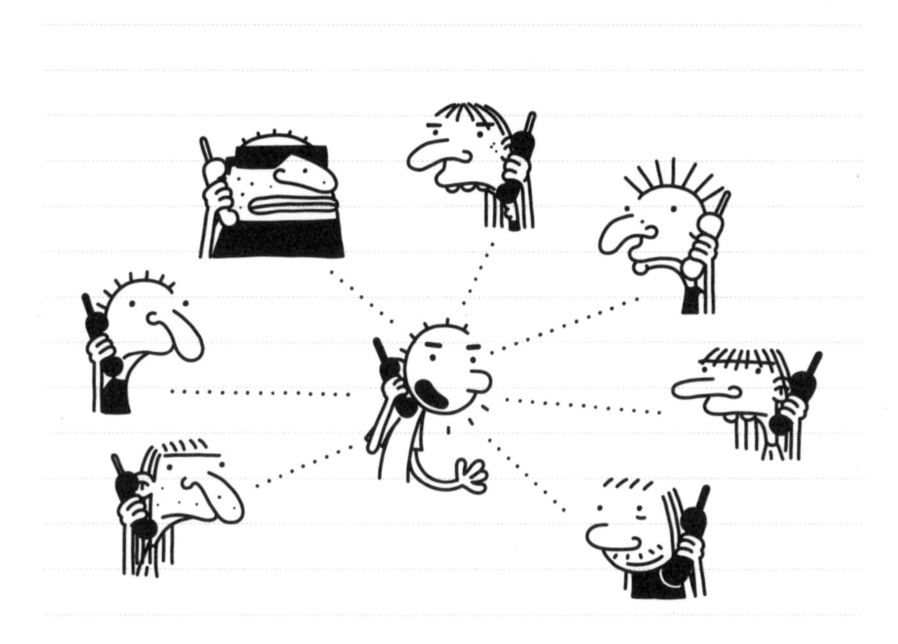

Ο Ρόντρικ μού είπε να φέρω μερικά πτυσσόμενα τραπέζια από το υπόγειο και πάγο από τον καταψύκτη. Οι φίλοι του άρχισαν να καταφθάνουν γύρω στις 7.00 και ο δρόμος γέμισε κόσμο.

Ο πρώτος που μπήκε σπίτι ήταν ο φίλος του Ρόντρικ, ο Γουάρντ. Μετά μπήκαν κάμποσοι άλλοι και ο Ρόντρικ μού είπε να φέρω κι άλλα τραπέζια. Έτσι ξανακατέβηκα στο υπόγειο.

Και με το που πάτησα το πόδι μου στη σκάλα, άκουσα την πόρτα πίσω μου να κλειδώνει.

Κοπάνησα την πόρτα, αλλά ο Ρόντρικ δυνάμωσε τη μουσική για να μην ακούγομαι. Κι έτσι έμεινα κολλημένος κάτω.

Καλά, έπρεπε να το φανταστώ πως ο Ρόντρικ θα έκανε κάτι τέτοιο.

Τι ηλίθιος που ήμουν να σκεφτώ ότι θα με άφηνε να είμαι κι εγώ στο πάρτι.

Και τι πάρτι! Άγρια πράγματα. Μέχρι και κάτι ΚΟΡΙΤΣΙΑ άκουσα που ήρθαν, αλλά δεν ήμουν σίγουρος, γιατί από τη χαραμάδα της πόρτας μόνο τις σόλες από τα παπούτσια τους έβλεπα.

Είχε πάει 2.00 το πρωί και το πάρτι συνεχιζόταν. Ε, τότε κουράστηκα πια. Ξάπλωσα σε ένα ντιβάνι στο υπόγειο και δεν είχα και κουβέρτες. Ξεπάγιασα κανονικά, αλλά καλύτερα πουντιασμένος, παρά με μια κουβέρτα από το κρεβάτι του γριπιασμένου Ρόντρικ πάνω μου.

Κάποιος πρέπει να ξεκλείδωσε την πόρτα του υπογείου μες στη νύχτα, γιατί, όταν ξύπνησα το πρωί, ήταν ανοιχτά. Ανέβηκα πάνω και ήταν λες και είχε περάσει τυφώνας από το σαλόνι.

Οι τελευταίοι έφυγαν στις 3.00 το μεσημέρι! Και όταν έμεινα με τον Ρόντρικ, μου είπε να τον βοηθήσω στο καθάρισμα.

Του δήλωσα πως δεν υπήρχε περίπτωση. Αλλά με απείλησε πως, αν καταλάβαιναν οι γονείς πως είχε κάνει πάρτι, θα έλεγε πως το είχαμε κάνει μαζί.

Και μετά πρόσθεσε πως, αν δεν τον βοηθούσα στη φασίνα, θα έλεγε σε όλους μου τους φίλους τι είχε συμβεί το καλοκαίρι.

Δεν το πίστευα πως μπορεί να ήταν τόσο κάθαρμα ο Ρόντρικ. Αλλά το έλεγε σοβαρά, οπότε στρώθηκα στη δουλειά.

Η μαμά κι ο μπαμπάς θα γύριζαν στις 7.00 και είχαμε ακόμη ΤΟΝΟΥΣ δουλειά.

Δεν ήταν εύκολο να σβήσουν τα αποδεικτικά στοιχεία του πάρτι, γιατί οι φίλοι του Ρόντρικ είχαν αφήσει σκουπίδια στα πιο απίθανα μέρη. Σε κάποια φάση, πήρα να φάω κορν φλέικς με γάλα και έπεσε ένα μισοφαγωμένο κομμάτι πίτσα από το κουτί.

Κατά τις 6.45, τα πράγματα είχαν ψιλοστρώσει. Πήγα να κάνω ένα ντουσάκι και τότε είδα τι ήταν γραμμένο στη μέσα μεριά της πόρτας του μπάνιου.

Προσπάθησα να το σβήσω με νεροσάπουνο, αλλά όποιος το έγραψε είχε τη φαεινή ιδέα να χρησιμοποιήσει ανεξίτηλο μαρκαδόρο.

Η μαμά κι ο μπαμπάς θα γύριζαν σε χρόνο μηδέν και την είχαμε βαμμένη. Αλλά τότε ο Ρόντρικ κατέβασε μια ιδέα. Είπε να βγάλουμε την πόρτα και να βάλουμε στη θέση της μια άλλη από το υπόγειο.

Έτσι, πήραμε κατσαβίδια και πέσαμε με τα μούτρα.

Ξεβιδώσαμε την πόρτα από τους μεντεσέδες και τη μεταφέραμε κάτω.

Μετά πήραμε την πόρτα από το δωμάτιο του Ρόντρικ στο υπόγειο και την πήγαμε ΠΑΝΩ.

Τελειώσαμε στο τσακ. Σφίγγαμε την τελευταία βίδα, όταν ακούσαμε το αμάξι των γονιών στο γκαράζ.

Χάρηκαν που το σπίτι δεν είχε γίνει κάρβουνο όσο έλειπαν.

Αλλά δε νομίζω πως έχουν ησυχάσει τελείως ακόμη, γιατί ο μπαμπάς ψαχούλευε το βράδυ και είμαι σίγουρος πως, αργά ή γρήγορα, θα ανακαλύψει πως είχε γίνει πάρτι εδώ.

Καλά, ο Ρόντρικ μπορεί να την είχε σκαπουλάρει αυτή τη φορά, αλλά χάρηκα που δεν ήταν και ο ΜΑΝΙ εδώ να δει το πάρτι. Γιατί ο Μάνι είναι ΜΕΓΑΛΟΣ μαρτυριάρης. Από τότε που έμαθε να μιλάει, τα μαρτυράει όλα. Εμένα με μαρτυρούσε ακόμη και ΠΡΙΝ μάθει να μιλάει.

Όταν ήμουν μικρός, είχα σπάσει την τζαμένια μεσόπορτα του σαλονιού. Η μαμά κι ο μπαμπάς δεν είχαν αποδείξεις για τον ένοχο, οπότε δεν μπορούσαν να με κατηγορήσουν και τη γλίτωσα. Όμως ο Μάνι ήταν μπροστά όταν έγινε και ύστερα από δύο χρόνια με κάρφωσε.

Και από τότε που ο Μάνι έμαθε να μιλάει, εγώ ανησυχούσα για όλες τις σκανταλιές που με είχε δει να κάνω όταν ήταν μωρό.

Ήμουν κι εγώ πολύ μαρτυριάρης παλιότερα, αλλά το έμαθα το μάθημά μου. Μια φορά, είχα μαρτυρήσει τον Ρόντρικ που είχε ξεστομίσει μια βρισιά. Η μαμά με ρώτησε ποια βρισιά, οπότε τη συλλάβισα. Και δεν ήταν και μικρή.

Έτσι κατέληξα με ένα σαπούνι στο στόμα, επειδή ήξερα πώς γράφεται η συγκεκριμένη βρισιά, και ο Ρόντρικ τη γλίτωσε.

Δευτέρα

Αύριο έχουμε φιλολογικά και πρέπει να γράψω μια «αλληγορία».

Δηλαδή μια ιστορία που άλλο λέει και άλλο εννοεί. Είχα ένα μικρό θέμα με την έμπνευση, αλλά είδα τον Ρόντρικ στο βαν του απ' έξω και μου κατέβηκε μια ιδέα.

Ο ΡΟΡΙ ΤΑ ΚΑΝΕΙ ΜΑΝΤΑΡΑ
του Γκρεγκ Χέφλι

Μια φορά ήταν ένας πίθηκος που τον έλεγαν Ρόρι. Ζούσε με μια οικογένεια που τον αγαπούσε πολύ, παρόλο που τα έκανε όλα μαντάρα.

Μια μέρα, ο Ρόρι χτύπησε κατά λάθος το κουδούνι της εξώπορτας και όλοι νόμιζαν πως το έκανε επίτηδες. Έτσι, του έδωσαν μια μπανάνα.

Ε, τότε πια ο Ρόρι νόμιζε πως ήταν καμιά ιδιοφυΐα. Και μια μέρα άκουσε τον ιδιοκτήτη του να λέει...

Έτσι, το πρωτόγονο μυαλό του Ρόρι σκαρφίστηκε ένα σχέδιο. Και να τι βρήκε:

Ο Ρόρι δούλευε μέρα-νύχτα και, για να μην πολυλογούμε, το αποτέλεσμα δεν ήταν ένα φτιαγμένο αυτοκίνητο.

Στο τέλος, ο Ρόρι είχε πάρει ένα πολύτιμο μάθημα: ο Ρόρι είναι πίθηκος. Και οι πίθηκοι δε φτιάχνουν αυτοκίνητα.

ΤΕΛΟΣ

Όταν τέλειωσα την εργασία μου, την έδειξα στον Ρόντρικ. Το 'ξερα πως δε θα 'πιανε την αλληγορία.

Όπως είπα και πριν, ο Ρόντρικ με έχει στο χέρι με το «μυστικό» μου. Οπότε πρέπει να το παίζω καλός μαζί του.

Τετάρτη

Σήμερα ήταν η πρώτη μέρα του Μάνι στο προνήπιο και δεν πήγε και πολύ καλά.

Όλα τα άλλα παιδιά στο προνήπιο είχαν αρχίσει από το Σεπτέμβρη. Όμως ο Μάνι φορούσε ακόμη πάνες και μόλις την περασμένη βδομάδα έμαθε να τα κάνει στο γιογιό, γι' αυτό και τον είχαν ακόμη στον παιδικό σταθμό.

Σήμερα είχαν πάρτι μασκέ στο προνήπιο, οπότε δεν ήταν ο καλύτερος τρόπος για να γνωριστεί ο Μάνι με τους συμμαθητές του.

Οι δασκάλες του Μάνι φώναξαν τη μαμά απ' τη δουλειά για να έρθει να τον πάρει.

Θυμάμαι τη ΔΙΚΗ ΜΟΥ πρώτη μέρα στο προνήπιο. Δεν ήξερα κανέναν και φοβόμουν με τόσα καινούρια παιδιά. Αλλά ένα παιδί που τον έλεγαν Κουίν ήρθε και μου μίλησε.

Δεν κατάλαβα πως ήταν αστείο και φρίκαρα κανονικά.

Είπα στη μαμά πως δεν ήθελα να ξαναπάω προνήπιο και της διηγήθηκα τη φάση με τον Κουίν.

Αλλά η μαμά είπε πως ο Κουίν έλεγε βλακείες και να μην τον ακούω.

Και όταν μου εξήγησε το αστείο, γέλασα. Ανυπομονούσα να ξαναπάω σχολείο την άλλη μέρα και να το πω κι εγώ.

Αλλά δεν είχε το ίδιο αποτέλεσμα.

ΝΟΕΜΒΡΙΟΣ

Δευτέρα

Έχει περάσει πάνω από βδομάδα από το πάρτι του Ρόντρικ και σταμάτησα να ανησυχώ πως η μαμά κι ο μπαμπάς θα μας τσακώσουν. Θυμάστε όμως την πόρτα του μπάνιου που αλλάξαμε; Ε, την είχα ξεχάσει, μέχρι απόψε.

Ο Ρόντρικ ήταν στο δωμάτιό μου και μου έκανε τη ζωή δύσκολη, όταν ο μπαμπάς πήγε στο μπάνιο. Και είπε κάτι που έκανε τον Ρόντρικ κι εμένα να παγώσουμε.

Όλα είχαν τελειώσει. Αν καταλάβαινε ο μπαμπάς τι είχε γίνει με την πόρτα, θα μάθαινε τα πάντα για το πάρτι.

Αλλά ο μπαμπάς δεν πήρε χαμπάρι.

Πάντως, ίσως να μην ήταν και κακό αν μάθαιναν για το πάρτι. Ο Ρόντρικ θα έτρωγε τιμωρία, που θα ήταν ΤΕΛΕΙΟ. Αν βρω τρόπο να τον μαρτυρήσω χωρίς να το μάθει, δε θα χάσω την ευκαιρία.

Τρίτη

Πήρα το πρώτο μου γράμμα από το Γάλλο Μαμαντού σήμερα. Αποφάσισα να το πάρω πιο ζεστά το θέμα με τον αλληλογράφο. Έτσι, όταν του απάντησα, προσπάθησα να του φανώ και κάμποσο χρήσιμος.

Αγαπητέ Γκρέγκορι,
Είναι τιμή μου που κάνω
τη γνωριμία σου.
Μαμαντού

Αγαπητέ Μαμαντού,
Νομίζω πως η «γνοριμία» γράφεται
με «ο» και όχι με «ω».

Προσπάθησε να βελτιώσεις λίγο
την ορθογραφία σου.

Φιλικά, Γκρεγκ

Τι βλακεία που η Μαντάμ Λεφρέρ δε μας αφήνει να έχουμε ηλεκτρονική αλληλογραφία με τους αλληλογράφους μας. Ο Άλμπερτ Μέρφι έχει ήδη ανταλλάξει κάμποσα γράμματα με τον δικό του και του έχει στοιχίσει μια περιουσία σε γραμματόσημα.

Αγαπητέ Ζακ,

Πόσων χρόνων είσαι;

Αγαπητέ Άλμπερτ,

12.

Αγαπητέ Ζακ,

Ααα...

ΚΟΣΤΟΣ: 14$

Παρασκευή

Σήμερα, οι γονείς του Ράουλι βγήκαν για φαγητό και του πήραν μπέιμπι-σίτερ.

Δεν έχω ιδέα γιατί ο Ράουλι δεν μπορεί να μείνει λίγες ώρες μόνος του, αλλά όχι ότι με χαλάει κιόλας. Γιατί η μπέιμπι-σίτερ του είναι η Χέδερ Χιλς και είναι το πιο ωραίο κορίτσι του Γυμνασίου Κρόσλαντ.

Έτσι, όποτε βγαίνουν οι Τζέφερσον, φροντίζω να περνάω κι εγώ από το σπίτι του Ράουλι για ένα «παραμυθάκι».

Πήγα στου Ράουλι γύρω στις 8.00 απόψε. Μέχρι και κολόνια έβαλα για να κάνω καλή εντύπωση στη Χέδερ.

Χτύπησα την πόρτα και περίμενα να μου ανοίξει η Χέδερ. Αυτό που ΔΕΝ περίμενα ήταν πως θα με υποδεχόταν ο Λίλαντ, ο γείτονας του Ράουλι.

Δεν το πιστεύω πως οι γονείς του Ράουλι αντάλλαξαν τη Χέδερ με τον ΛΙΛΑΝΤ! Εμένα έπρεπε να ρωτήσουν πρώτα πριν κάνουν τέτοια χαζομάρα.

Μόλις είδα πως η Χέδερ δεν ήταν εκεί, έκανα να γυρίσω σπίτι μου. Αλλά ο Ράουλι με ρώτησε αν ήθελα να παίξουμε Μάγους και Τέρατα.

Ο μόνος λόγος που δέχτηκα ήταν επειδή νόμιζα πως θα παίζαμε ηλεκτρονικά. Έλα όμως που το Μάγοι και Τέρατα το παίζεις με μολύβι, χαρτί και κάτι ειδικά ζάρια, και πρέπει να χρησιμοποιήσεις τη «φαντασία» σου.

Τελικά βγήκε πολύ αστείο το παιχνίδι, κυρίως επειδή στο Μάγοι και Τέρατα μπορείς να κάνεις πράγματα που δε θα έκανες ΠΟΤΕ στην αληθινή ζωή.

Όταν έφτασα σπίτι, είπα στη μαμά για το παιχνίδι και το πόσο ωραία περάσαμε με τον Λίλαντ Δεσμοφύλακα. Ο Ρόντρικ με άκουσε να λέω για τον Λίλαντ και είπε πως είναι ο μεγαλύτερος σπασίκλας του σχολείου.

Αυτό όμως προέρχεται από το στόμα ενός τύπου, που περνάει τα σαββατόβραδά του βάζοντας πλαστικά ξερατά στα καπό των αυτοκινήτων στο πάρκινγκ. Δε νομίζω πως θα πάρω στα σοβαρά τη γνώμη του Ρόντρικ, τελικά.

Τετάρτη

Τις τελευταίες μέρες, πάω στον Λίλαντ κάθε μεσημέρι μετά το σχολείο για να παίξουμε *Μάγους Και Τέρατα*. Εκεί πήγαινα και σήμερα, αλλά η μαμά με σταμάτησε στην πόρτα.

Η μαμά είναι γενικά πολύ καχύποπτη με το παιχνίδι.

Και από τις ερωτήσεις που μου κάνει, μάλλον νομίζει πως ο Λίλαντ μάς μαθαίνει μαγεία ή κάτι τέτοιο. Έτσι, σήμερα, η μαμά είπε πως θα έρθει ΜΑΖΙ ΜΟΥ στου Λίλαντ να μας δει που θα παίζουμε.

Την ΙΚΕΤΕΥΣΑ να μην έρθει, πρώτον γιατί ήξερα πως δε θα ενέκρινε ποτέ τη βία στο παιχνίδι.

Και, δεύτερον, ξέρω πως, άμα είναι κι εκείνη μαζί, δεν υπάρχει περίπτωση να ευχαριστηθούμε το παιχνίδι.

Όταν συνέχισα να επιμένω να μην έρθει, έγινε ΑΚΟΜΗ πιο καχύποπτη. Τώρα ήταν που δε θα άλλαζε γνώμη με τίποτα.

Ωστόσο, ο Ράουλι και ο Λίλαντ δε χαλάστηκαν καθόλου που ήρθε και η μαμά μαζί μου. Αλλά εγώ δεν μπορούσα να χαλαρώσω ούτε δευτερόλεπτο και ένιωθα τελείως ηλίθιος να παίζω μπροστά της.

Σκέφτηκα πως η μαμά θα βαριόταν ύστερα από λίγο και θα πήγαινε σπίτι, αλλά τίποτα. Και πάνω που νόμιζα πως ήταν έτοιμη να φύγει, είπε πως ήθελε ΚΙ ΕΚΕΙΝΗ να παίξει.

Έτσι, ο Λίλαντ τής ετοίμασε ένα χαρακτήρα, παρόλο που του έκανα νόημα να μην κάνει τέτοια βλακεία.

Η μαμά είπε στον Λίλαντ πως ήθελε ο ΔΙΚΟΣ ΤΗΣ χαρακτήρας να είναι η μαμά του ΔΙΚΟΥ ΜΟΥ χαρακτήρα στο παιχνίδι.

Χωρίς να χάσω χρόνο, εξήγησα στη μαμά ότι όλοι οι χαρακτήρες στο Μάγοι και Τέρατα είναι ορφανοί, οπότε δε γινόταν να είναι η μητέρα μου.

Και η μαμά με πίστεψε. Αλλά ύστερα ρώτησε τον Λίλαντ αν μπορούσε να ονομάσει το χαρακτήρα της «Μαμά» και εκείνος είπε ναι.

Μπράβο της που βρήκε αυτή τη λύση, αλλά εμένα μου το χάλασε το παιχνίδι τελικά.

Αν και η μαμά δεν ήταν ακριβώς μαμά μου στο παιχνίδι, ΕΚΑΝΕ λες και ήταν.

Σε κάποια φάση, οι χαρακτήρες μας ήταν σε ένα καπηλειό και περίμεναν έναν κατάσκοπο, και ο Γκρίμλον, ο νάνος μου, παρήγγειλε ένα υδρομέλι. Το υδρομέλι είναι κάτι σαν μπίρα στο *Μάγοι και Τέρατα* και δε νομίζω να το ενέκρινε η μαμά.

Το χειρότερο μέρος του παιχνιδιού ήταν όταν περάσαμε στη φάση της μάχης. Σκοπός του παιχνιδιού είναι να σκοτώσεις όσο πιο πολλά τέρατα μπορείς, για να πάρεις πόντους και να ανεβείς επίπεδα.

Όμως ούτε αυτό το έπιασε η μαμά.

Ύστερα από καμιά ώρα με τις ίδιες βλακείες, αποφάσισα να αποσυρθώ. Έτσι, μάζεψα τα πράγματά μου και πήγαμε σπίτι με τη μαμά.

Στο γυρισμό, η μαμά είχε κατενθουσιαστεί με τους Μάγους και τα *Τέρατα* και έλεγε πόσο θα μπορούσαν να με βοηθήσουν στα μαθηματικά. Ελπίζω πάντως να μην έχει σκοπό να γίνει μόνιμη στο παιχνίδι. Γιατί, με την πρώτη ευκαιρία, θα δώσω τη «Μαμά» να τη φάνε οι Γίγαντες.

Πέμπτη

Σήμερα, μετά το σχολείο, η μαμά με πήγε στο βιβλιοπωλείο και αγοράσαμε σχεδόν ό,τι βιβλίο υπήρχε σχετικά με το παιχνίδι. Πρέπει να έσκασε 200 δολάρια σε βιβλία και δε μου είπε να χαλάσω ούτε ένα μαμαχίλιαρο απ' τα δικά μου.

Τελικά, ίσως να ήμουν σκληρός μαζί της και να μην είναι και τόσο αρνητικό να έχουμε μαζί μας και τη μαμά στην ομάδα του παιχνιδιού.

Ήμουν έτοιμος να πάρω όλα τα βιβλία μαζί μου στου Λίλαντ, αλλά τότε ανακάλυψα πως υπήρχε παγίδα.

Η μαμά είχε αγοράσει για μένα και τον ΡΟΝΤΡΙΚ τα βιβλία, για να παίζουμε *Μάγους και Τέρατα* μαζί. Είπε πως ήταν ένας καλός τρόπος να λύσουμε τις διαφορές μας.

Η μαμά είπε στον Ρόντρικ να γίνει Δεσμοφύλακας, σαν τον Λίλαντ. Μετά, άφησε τα βιβλία στο κρεβάτι του και του είπε να στρωθεί στη μελέτη.

Ήταν που ήταν φρίκη να παίζω μπροστά στη μαμά στο σπίτι του Λίλαντ... ε, τώρα με τον Ρόντρικ θα ήταν δέκα φορές χειρότερα.

Η μαμά είχε πάρει πολύ στα σοβαρά το παιχνίδι μ' εμένα και τον Ρόντρικ, οπότε ήξερα πως δε γινόταν να ξεφύγω. Πέρασα κάπου μια ώρα, φτιάχνοντας χαρακτήρες με φυσιολογικά ονόματα, που δε θα μπορούσε να κοροϊδέψει ο Ρόντρικ.

Μόλις τέλειωσα, πήγα στην κουζίνα που ήταν ο Ρόντρικ και αρχίσαμε το παιχνίδι.

Μάλλον θα 'πρεπε να χαίρομαι που τέλειωσαν όλα τόσο γρήγορα. Ελπίζω μόνο να κράτησε η μαμά τις αποδείξεις από το βιβλιοπωλείο για να γυρίσει πίσω τα βιβλία.

Παρασκευή

Οι καθηγητές τα 'χουν πάρει με τα παιδιά που αντιγράφουν και έχουν σκληρύνει τη στάση τους. Θυμάστε που σας είπα πως με έβαλαν δίπλα στον Άλεξ Αρούντα στην Άλγεβρα; Ε, ΤΣΑΜΠΑ με έβαλαν.

Η κυρία Λι είναι η καθηγήτρια της Άλγεβρας και μάλλον είχε μαθητή και τον Ρόντρικ κάποτε. Γιατί με κοιτάζει σαν ΑΡΠΑΚΤΙΚΟ.

Καμιά φορά, σκέφτομαι τι ωραία που θα ήταν να είχα ένα γυάλινο μάτι ή κάτι τέτοιο. Πρώτον, θα το χρησιμοποιούσα για να φρικάρω τους φίλους μου.

Αλλά κυρίως θα το χρησιμοποιούσα για να παίρνω καλύτερους βαθμούς.

Την πρώτη μέρα του σχολείου θα το έβαζα να κοιτάζει κάπως έτσι:

Μετά, θα πήγαινα στον καθηγητή και θα του έλεγα: «Ακούστε, ήθελα απλώς να σας πω ότι έχω ένα γυάλινο μάτι. Μη νομίζετε πως κοιτάζω τα γραπτά των συμμαθητών μου».

Μετά, στα διαγωνίσματα θα έβαζα το γυάλινο μάτι να κοιτάζει τη ΔΙΚΗ μου κόλλα και με το ΑΛΗΘΙΝΟ θα κοιτούσα την κόλλα του διπλανού μου.

Και θα αντέγραφα με την ησυχία μου! Και ο βλάκας ο καθηγητής δε θα 'παιρνε χαμπάρι.

Δυστυχώς, ΔΕΝ έχω γυάλινο μάτι. Έτσι, αν η μαμά με ρωτήσει γιατί πήγα χάλια στο διαγώνισμα της Άλγεβρας σήμερα, αυτό θα της πω για δικαιολογία.

Κυριακή

Ο Ρόντρικ ζητάει συνέχεια λεφτά από τους γονείς, οπότε μάλλον δεν του πήγε καλά το σύστημα με τα μαμαχίλιαρα. Η μαμά προσπάθησε να τον βάλει να κάνει διάφορα θελήματα για να βγάλει λεφτά, αλλά ούτε αυτό του πάει καλά.

Όμως σήμερα, η μαμά σκέφτηκε έναν τρόπο να βγάλει λεφτά ο Ρόντρικ. Λάβαμε ένα γράμμα από το σχολείο που έλεγε πως, λόγω περικοπών στη χρηματοδότηση, δε θα κάναμε μουσική φέτος και οι γονείς θα έπρεπε να κάνουν ιδιαίτερα στα παιδιά τους.

Η μαμά είπε στον Ρόντρικ να μου κάνει ΕΜΕΝΑ μαθήματα ντραμς και με το ΑΖΗΜΙΩΤΟ.

Νομίζω πως η μαμά σκέφτηκε αυτή τη λύση, γιατί ο Ρόντρικ διαδίδει πως είναι «επαγγελματίας ντράμερ».

Έχουμε ένα θίασο στη γειτονιά που λέγεται «Οι Παλαβοί της Γειτονιάς» και οι κάτοικοι παρουσιάζουν διάφορα αστεία σκετσάκια στο κοινοτικό θέατρο για δυο βδομάδες το χρόνο.

Τις προάλλες, ο κανονικός ντράμερ αρρώστησε και ο Ρόντρικ πήρε τη θέση του και πληρώθηκε πέντε δολάρια.

Δεν ξέρω αν αυτή η συμμετοχή τον κάνει «επαγγελματία ντράμερ», αλλά, για καλό και για κακό, το σφύριξα στα κορίτσια του σχολείου για να ανεβάσω τις μετοχές μου.

Όταν η μαμά είπε στον Ρόντρικ να μου κάνει μαθήματα, δεν τρελάθηκε κι απ' τη χαρά του. Αλλά μετά του είπε πως θα του δίνει δέκα δολάρια το μάθημα και πως θα μπορούσε να κάνει μαθήματα και στους φίλους μου.

Έτσι, πρέπει τώρα να βρω μαθητές για την Ακαδημία Ντραμς του Ρόντρικ. Και ξέρω από τώρα πως δε θα 'χει καθόλου πλάκα.

Δευτέρα

Δε βρήκα ούτε έναν που να θέλει να κάνει ντραμς με τον Ρόντρικ, εκτός από τον Ράουλι, που και αυτόν χρειάστηκε να χρησιμοποιήσω δόλια μέσα για να τον πείσω. Ο Ράουλι λέει συνέχεια πως θέλει να μάθει κρουστά, αλλά απ' αυτά που παίζουν οι μπάντες στις παρελάσεις.

Του είπα πως ΣΙΓΟΥΡΑ θα του μάθαινε κι απ' αυτά στην τέταρτη βδομάδα και ο Ράουλι ενθουσιάστηκε.

Χάρηκα που δε θα έκανα ολομόναχος μάθημα με τον Ρόντρικ.

Ο Ράουλι ήρθε σπίτι μετά το σχολείο και κατεβήκαμε στο υπόγειο για το πρώτο μας μάθημα. Ο Ρόντρικ μάς ξεκίνησε με τα βασικά.

Αλλά είχαμε μόνο ένα σετ για εξάσκηση κι έτσι ο Ράουλι αναγκάστηκε να χρησιμοποιήσει ένα χάρτινο πιάτο και πλαστικά μαχαιροπίρουνα. Ε, αυτό γίνεται όταν γράφεσαι τελευταίος σ' ένα μάθημα.

Ύστερα από ένα τέταρτο, χτύπησε το τηλέφωνο του Ρόντρικ. Έτσι μας έδιωξε και το πρώτο μάθημα πήρε τέλος.

Η μαμά δε χάρηκε που εγώ και ο Ράουλι ανεβήκαμε τόσο σύντομα στο σαλόνι και μας ξανάστειλε στο υπόγειο. Είπε να μην ανεβούμε τουλάχιστον μέχρι να μας δώσει ο Ρόντρικ ασκήσεις για την άλλη φορά. Και το έκανε.

Τρίτη

Εγώ και ο Ράουλι ξανακάναμε μάθημα ντραμς με τον Ρόντρικ σήμερα.

Που μπορεί να είναι καλός ντράμερ, αλλά σαν δάσκαλος έχει τα χάλια του. Εμείς κάναμε ό,τι καλύτερο μπορούσαμε με τις ασκήσεις που μας είχε μάθει, αλλά δεν τα πηγαίναμε και φοβερά, και ο Ρόντρικ τα 'παιρνε.

Κάποια στιγμή, φρίκαρε τόσο πολύ που μας πήρε τις μπαγκέτες απ' τα χέρια. Ο Ρόντρικ κάθισε στα ντραμς του και μας είπε να «δούμε για να μάθουμε». Μετά άρχισε ένα ατέλειωτο σόλο, που δεν είχε καμιά σχέση με τις ασκήσεις που μας είχε μάθει.

Ο Ρόντρικ δε μας έριξε ούτε ένα βλέμμα όσο έπαιζε, έτσι εγώ κι ο Ράουλι σηκωθήκαμε και φύγαμε.

Εντάξει, δεν παραπονιέμαι. Γιατί όπως το βλέπω εγώ, όλοι κερδισμένοι βγήκαμε.

Πέμπτη

Πλησιάζει η μέρα που θα παραδώσουμε την εργασία στην Ιστορία και καλά θα κάνω να σοβαρευτώ.

Οι δάσκαλοι έχουν γίνει πολύ αυστηροί με την ποιότητα της δουλειάς που παραδίδουμε, οπότε ο τρόπος με τον οποίο έφτιαχνα τις εργασίες παλιότερα δεν πιάνει πια.

Την περασμένη βδομάδα είχαμε εργασία στη Φυσική Ιστορία και η κυρία Μπρέκμαν είπε να διαλέξουμε ένα ζώο και να γράψουμε κάτι γι' αυτό. Εγώ διάλεξα την άλκη. Ξέρω πως έπρεπε να είχα κάνει κάποια έρευνα στη βιβλιοθήκη πρώτα, αλλά είπα να το γράψω μόνος μου.

ΑΛΚΗ Η ΘΑΥΜΑΣΤΗ
του Γκρεγκ Χέφλι

Διατροφή: Η άλκη τρώει πολλά πολλά πράγματα, αλλά η λίστα του τι τρώει θα παραείναι μεγάλη, οπότε δε θα χασομερήσω και θα γράψω τι ΔΕΝ τρώει η άλκη.

ΤΣΙΧΛΟΦΟΥΣΚΑ ΜΕΤΑΛΛΟ ΠΙΤΣΑ

Οι άλκες ζουν σε φυσικό περιβάλλον όπου βρίσκουν να φάνε φυτά, ενώ τους αρέσει και η βρώμη.

Όλοι ξέρουν πως η άλκη εξελίχθηκε από τα πουλιά, όπως και οι άνθρωποι. Αλλά κάπου στην πορεία, οι άνθρωποι έβγαλαν χέρια ενώ της άλκης τής έμειναν αυτά τα άχρηστα κέρατα.

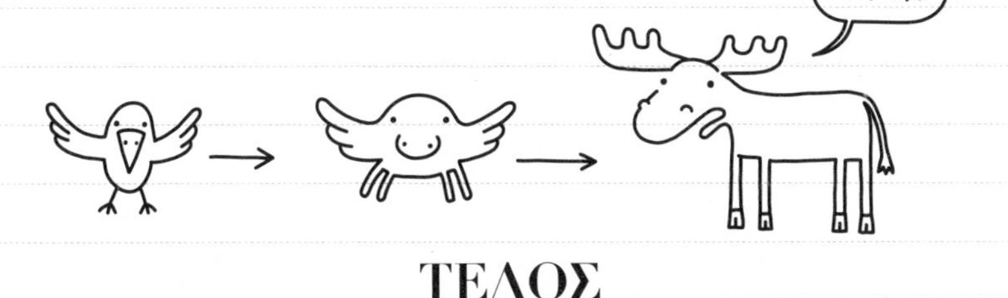

ΤΕΛΟΣ

Νόμιζα πως τα είχα πάει τέλεια. Αλλά μάλλον η κυρία Μπρέκμαν είναι ειδικός στις άλκες, γιατί με ανάγκασε να πάω στη βιβλιοθήκη και να ξαναγράψω την εργασία απ' την αρχή.

Ούτε η ΕΠΟΜΕΝΗ εργασία μου θα είναι εύκολη. Έχω να γράψω ένα ποίημα για τις αρχές του 20ού αιώνα για το μάθημα του κυρίου Χαφ και δεν έχω ιδέα ΟΥΤΕ από ιστορία ΟΥΤΕ από ποίηση. Οπότε, καλά θα κάνω ν' ανοίξω κάνα βιβλίο.

Δευτέρα

Είχα πάει στου Ράουλι για επιτραπέζια και συνέβη το πιο τρελό πράγμα. Όταν ο Ράουλι πήγε τουαλέτα, πρόσεξα κάτι ψεύτικα χαρτονομίσματα που εξείχαν από το κουτί ενός άλλου παιχνιδιού.

Δεν πίστευα στα μάτια μου. Γιατί τα λεφτά αυτά ήταν ΑΚΡΙΒΩΣ τα ίδια με τα μαμαχίλιαρα που μας δίνει η μαμά.

Όταν τα μέτρησα, βγήκαν κάπου 100.000 δολάρια μετρητά.

Δεν έκανα πάνω από δυο δευτερόλεπτα να σκαρφιστώ σχέδιο για τη συνέχεια.

Όταν έφτασα σπίτι, έκρυψα τα λεφτά κάτω από το στρώμα μου. Όλη νύχτα στριφογύριζα στο κρεβάτι, προσπαθώντας να σκεφτώ τι να κάνω με τα νέα μου μαμαχίλιαρα.

Σκέφτηκα όμως πως η μαμά ίσως είχε βρει τρόπο να ξεχωρίζει τα αληθινά μαμαχίλιαρα από τα ψεύτικα. Έτσι αποφάσισα να κάνω ένα πείραμα.

Πήγα στη μαμά να μου εξαργυρώσει λίγα λεφτά για να πάρω γραμματόσημα. Είχα μεγάλη ταραχή όταν της έδινα τα χρήματα.

Όμως τα πήρε χωρίς να δώσει σημασία.

Καλά, απίστευτη τύχη! Δηλαδή αυτά τα 100.000 μπορεί να με βγάλουν σε όλο το γυμνάσιο, μην πω και αργότερα. Τι; Ίσως να μη χρειαστεί καν να βρω κανονική δουλειά στο μέλλον!

Το κόλπο είναι να μην εξαργυρώνω πολλά λεφτά μαζί, αλλιώς η μαμά θα καταλάβει πως κάτι δεν πάει καλά.

Και να μην ξεχάσω να κερδίζω πού και πού μερικά αληθινά μαμαχίλιαρα, έτσι για ξεκάρφωμα.

Αλλά ένα έχω να πω με σιγουριά: με τίποτα δεν πρόκειται να χαλάσω αληθινά μαμαχίλιαρα για τα γραμματόσημα.

Έλαβα μια φωτογραφία του Μαμαντού χτες και δε νομίζω πως έχω όρεξη να του ξαναγράψω ποτέ.

Τρίτη

Η εργασία της Ιστορίας είναι για αύριο, αλλά όλοι λένε πως θα ρίξει πενήντα πόντους χιόνι απόψε.

Έτσι, δεν το πήρα και πολύ ζεστά το θέμα με την εργασία.

Και γύρω στις 10.00, κοίταξα από το παράθυρο να δω πόσους πόντους χιόνι είχε ρίξει μέχρι στιγμής. Αλλά όταν τράβηξα την κουρτίνα, δεν πίστευα στα μάτια μου.

Κι εγώ που περίμενα να μην έχουμε σχολείο λόγω του χιονιού αύριο... Έβαλα ειδήσεις να δω τι γινόταν και ο μετεωρολόγος έλεγε ΑΛΛΑ απ' ό,τι τρεις ώρες πριν.

Που σήμαινε πως έπρεπε να στρωθώ και να κάνω την εργασία. Έλα όμως που παραήταν αργά για να πάω στη βιβλιοθήκη και δεν είχα ούτε ένα βιβλίο για τις αρχές του 20ού αιώνα σπίτι. Κάτι έπρεπε να σκεφτώ.

Και τότε μου κατέβηκε η τέλεια ιδέα.

Ο μπαμπάς είχε ξελασπώσει τον Ρόντρικ ΕΚΑΤΟΜΜΥΡΙΑ φορές με τις εργασίες του σχολείου. Σκέφτηκα, λοιπόν, πως θα με βοηθούσε κι εμένα.

Του είπα πώς είχε η κατάσταση, νομίζοντας πως θα σκιζόταν να με βοηθήσει. Αλλά ο μπαμπάς το είχε μάθει το μάθημά του.

Ο Ρόντρικ μάλλον μας άκουσε που μιλούσαμε και με φώναξε να πάω μαζί του στο υπόγειο.

Θυμάστε που ο Ρόντρικ είχε καθηγητή τον κύριο Χαφ στο γυμνάσιο; Ε, τελικά, ο κύριος Χαφ έβαζε τότε στην τάξη του ΑΚΡΙΒΩΣ τις ίδιες εργασίες που μας βάζει κι εμάς τώρα.

Ο Ρόντρικ ψαχούλεψε λίγο στα συρτάρια του και βρήκε τη δική του εργασία. Και πρότεινε να μου την πουλήσει για πέντε δολάρια.

Του είπα ΑΠΟΚΛΕΙΕΤΑΙ.

Αλλά πρέπει να παραδεχτώ πως ήταν δελεαστική η προσφορά. Πρώτον, γιατί, μια και όλες οι εργασίες του Ρόντρικ έχουν περάσει από τα χέρια του μπαμπά, ήξερα πως ο Ρόντρικ είχε πάρει καλό βαθμό και σ' αυτήν. Και, δεύτερον, την είχε μέσα σ' αυτά τα χρωματιστά πλαστικά ντοσιέ που ξετρελαίνουν τους καθηγητές.

Συν ότι είχα ένα μεγάλο απόθεμα από μαμαχίλιαρα κάτω από το στρώμα μου και μπορούσα κάλλιστα να πληρώσω με αυτά τον Ρόντρικ.

Όμως δεν μπορούσα να το κάνω. Εντάξει, έχω αντιγράψει εργασίες από άλλους, αλλά να ΑΓΟΡΑΣΩ εργασία! Αυτό ήταν άλλο επίπεδο.

Έτσι, αποφάσισα να πάω να κάνω την εργασία μόνος μου.

Είχα αρχίσει να κάνω μια μικρή έρευνα στον υπολογιστή, αλλά, γύρω στα μεσάνυχτα, συνέβη το αδιανόητο: κόπηκε το ρεύμα.

Τότε κατάλαβα πως την είχα βαμμένη για τα καλά. Ήξερα πως δε θα περνούσα Ιστορία, αν δεν έδινα εργασία. Έτσι, παρόλο που δεν το ήθελα καθόλου, αποφάσισα να δεχτώ την προσφορά του Ρόντρικ.

Έβγαλα τα χρήματα που μου είπε και κατέβηκα στο υπόγειο. Όμως ο Ρόντρικ δε θα μου τη χάριζε έτσι εύκολα.

Μου είπε, λοιπόν, πως του χρωστούσα 20 μαμαχίλιαρα. Του είπα πως δεν είχα κι έτσι γύρισε πλευρό.

Ε, εκείνη τη στιγμή, με έπιασε απελπισία. Ανέβηκα πάνω, έβγαλα μια χούφτα μαμαχίλιαρα από το στρώμα και κατέβηκα πάλι στο δωμάτιο του Ρόντρικ. Του έδωσα τα χρήματα κι εκείνος την εργασία. Ένιωθα τελείως χάλια μ' αυτό που έκανα, αλλά προσπάθησα να το ξεχάσω και να πέσω για ύπνο.

Τετάρτη
Στο δρόμο για το σχολείο, έβγαλα την εργασία του Ρόντρικ από την τσάντα μου. Αλλά μια ματιά μόνο έφτανε για να ανακαλύψω πως την είχα πατήσει.

Πρώτον, η εργασία δεν ήταν τυπωμένη, αλλά χειρόγραφη. Από το χεράκι του Ρόντρικ μάλιστα.

Και τότε θυμήθηκα: Ο μπαμπάς άρχισε να κάνει τις εργασίες του Ρόντρικ στο ΛΥΚΕΙΟ. Που σημαίνει ότι τη συγκεκριμένη εργασία ο Ρόντρικ την είχε κάνει μόνος του!

Άρχισα να τη διαβάζω για να δω αν μπορούσα να τη δώσω στον καθηγητή. Όμως ο Ρόντρικ αποδείχτηκε ΤΡΙΣχειρότερος από μένα στην έρευνα και την Ιστορία.

Πριν Από Χρόνια Εκατό

του Ρόντρικ Χέφλι

Έχω απορίες στο μυαλό,
μα όσο κι αν σκεφτώ,
δεν ξέρω πώς ήταν η γη
πριν από χρόνια εκατό.

Είχε δεινόσαυρους πολλούς;
Τι βάσανο κι αυτό!
Είχε ανθρώπους στις σπηλιές
πριν από χρόνια εκατό;

Αχ, να 'χα χρονομηχανή,
το παρελθόν να επισκεφτώ,
να δω τι στο καλό γινόταν
πριν από χρόνια εκατό.

Είχε αράχνες γίγαντες;
Και χιόνι αρκετό;
Πώς να 'ταν άραγε η γη
πριν από χρόνια εκατό;

0

Έλα στο γραφείο μου!

Καλά να πάθω που πήγα και αγόρασα έτοιμη εργασία. Και μάλιστα απ' τον ΡΟΝΤΡΙΚ.

Με το που τέλειωσε και η τρίτη ώρα, δεν είχα τίποτα να δώσω στον κύριο Χαφ. Που σημαίνει ότι θα 'χω να ξαναδώσω Ιστορία το Σεπτέμβρη.

Όχι ότι η μέρα μου πήγε καλύτερα ύστερα απ' αυτό. Όταν γύρισα σπίτι, η μαμά με περίμενε στην πόρτα.

Θυμάστε τα λεφτά με τα οποία πλήρωσα τον Ρόντρικ; Ε, πήγε να τα εξαργυρώσει ΟΛΑ μονοκοπανιά για να πάρει μεταχειρισμένο μηχανάκι. Είμαι σίγουρος πως η μαμά κάτι είχε πάρει χαμπάρι, μια και ο Ρόντρικ δεν κέρδισε ποτέ μαμαχίλιαρο με την αξία του.

Ο Ρόντρικ είπε στη μαμά πού βρήκε τα λεφτά κι εκείνη ψαχούλεψε το δωμάτιό μου, μέχρι που ανακάλυψε τα κρυμμένα κάτω από το στρώμα. Ήξερε πως δεν είχε βγάλει ποτέ στην κυκλοφορία 100 χιλιάρικα κι έτσι μου πήρε όλα τα λεφτά, ακόμη και τα αληθινά μαμαχίλιαρα, που είχα κερδίσει με τον ιδρώτα μου. Κάτι μου λέει πως δε θα ξαναδούμε μαμαχίλιαρα πια.

Για να είμαι ειλικρινής, κάπου ανακουφίστηκα. Ήταν πολύ αγχωτικό να κοιμάσαι πάνω σε ένα στρώμα από μετρητά κάθε νύχτα.

Η μαμά είχε θυμώσει πολύ μαζί μου μ' αυτό που έκανα και μου έβαλε τιμωρία. Αλλά την ξεμπέρδεψα πριν καν φάμε για βράδυ.

Πέμπτη

Σήμερα ήταν η Ημέρα των Ευχαριστιών και ξεκίνησε όπως κάθε χρόνο: με τη θεία Λορέτα να έρχεται δυο ώρες νωρίτερα.

Η μαμά βάζει πάντα εμένα και τον Ρόντρικ να «κάνουμε παρέα» στη θεία Λορέτα, πράγμα που σημαίνει να της μιλάμε μέχρι να έρθουν και οι άλλοι συγγενείς.

Οι μεγαλύτεροι καβγάδες που έχω κάνει ποτέ με τον Ρόντρικ είναι για το ποιος θα πάει να τη χαιρετήσει πρώτος.

Οι υπόλοιποι συγγενείς άρχισαν να έρχονται κατά τις 11.00. Ο αδελφός του μπαμπά, ο θείος Τζο, και τα παιδιά του ήρθαν τελευταίοι, στις 12.30.

Τα παιδιά του θείου Τζο φωνάζουν τον μπαμπά μου πάντα με τον ίδιο τρόπο:

Η μαμά το βρίσκει γλυκούλι να τον λένε «θεία», αλλά ο μπαμπάς είναι σίγουρος πως ο θείος Τζο έχει βάλει τα παιδιά του να το κάνουν επίτηδες.

Υπάρχει αρκετή ένταση ανάμεσα στον μπαμπά και το θείο Τζο. Ο μπαμπάς τού έχει θυμώσει από ΠΕΡΣΙ, γιατί τότε ο Μάνι είχε μόλις αρχίσει να αποχωρίζεται την πάνα και τα πήγαινε μια χαρά. Δεν του έμεναν πάνω από δυο βδομάδες για να τη βγάλει τελείως και να πηγαίνει τουαλέτα μόνος του.

Όμως, ο θείος Τζο είπε κάτι στον Μάνι που άλλαξε τα πάντα.

Ε, ο Μάνι έκανε έξι μήνες να ξαναπατήσει το πόδι του στην τουαλέτα.

Και κάθε φορά που ο μπαμπάς άλλαζε πάνα στον Μάνι έπειτα απ' αυτό το επεισόδιο, τον άκουγα να μουρμουρίζει βρισιές για το θείο Τζο.

Φάγαμε γύρω στις 2.00 και ύστερα όλοι πήγαν στο σαλόνι να κουβεντιάσουν. Εγώ δεν είχα όρεξη για κουβέντες, οπότε πήγα να παίξω ηλεκτρονικά.

Μάλλον κι ο μπαμπάς βαριόταν τις συζητήσεις κι έτσι πήγε κάτω να ασχοληθεί με τη μακέτα με τα στρατιωτάκια του. Όμως ξέχασε να κλειδώσει την πόρτα και ο θείος Τζο τον ακολούθησε.

Ο θείος Τζο είχε μεγάλη περιέργεια να δει τι έφτιαχνε ο μπαμπάς, οπότε ο μπαμπάς τού είπε.

Ο μπαμπάς είπε στο θείο Τζο όλη την ιστορία σχετικά με τη μάχη που αναπαριστούσε η μακέτα και τι ρόλο έπαιζε το κάθε στρατιωτάκι. Μισή ώρα τού μιλούσε!

Όμως ο θείος Τζο μάλλον βαρέθηκε ν' ακούει τις ιστορίες του μπαμπά.

Ε, η επίσκεψή τους δεν κράτησε πολύ ύστερα απ' αυτό. Ο μπαμπάς πήγε πάνω και δυνάμωσε το θερμοστάτη στο καλοριφέρ και σε λίγο όλοι άρχισαν να σκάνε από τη ζέστη, οπότε έφυγαν. Κάπως έτσι τελειώνει κάθε φορά το τραπέζι με τους συγγενείς.

ΔΕΚΕΜΒΡΙΟΣ

Σάββατο

Θυμάστε που σας είπα πως η μαμά και ο μπαμπάς θα ανακάλυπταν κάποτε πως ο Ρόντρικ είχε κάνει πάρτι; Ε, συνέβη σήμερα.

Η μαμά έστειλε τον μπαμπά να πάει να πάρει τις φωτογραφίες από την Ημέρα των Ευχαριστιών και όταν ο μπαμπάς γύρισε, δε φαινόταν καθόλου χαρούμενος.

Γιατί στο χέρι του κρατούσε και μια φωτογραφία από το πάρτι του Ρόντρικ.

Μάλλον κάποιος από τους φίλους του τράβηξε κατά λάθος μια φωτογραφία με τη μηχανή της μαμάς, που την είχε στο ράφι πάνω από το στερεοφωνικό. Και στη φωτογραφία φαινόταν όλο το σκηνικό.

Ο Ρόντρικ προσπάθησε να τα αρνηθεί όλα. Όμως η φωτογραφία δεν έλεγε ψέματα, οπότε τσάμπα η προσπάθεια.

Η μαμά κι ο μπαμπάς πήραν τα κλειδιά από το βαν του Ρόντρικ και του είπαν πως η τιμωρία του είναι να μη βγει από το σπίτι για ένα ΜΗΝΑ.

Αλλά και μ' ΕΜΕΝΑ θύμωσαν, γιατί είπαν πως ήμουν «συνένοχος». Και μου απαγόρευσαν να παίζω ηλεκτρονικά για δυο βδομάδες.

Κυριακή

Η μαμά κι ο μπαμπάς τον έχουν πρήξει τον Ρόντρικ από τότε που έμαθαν για το πάρτι. Ο Ρόντρικ κοιμάται συνήθως μέχρι τις 2.00 το μεσημέρι τα σαββατοκύριακα, αλλά σήμερα ο μπαμπάς τον σήκωσε από τις 8.00.

Είναι μεγάλο χτύπημα για τον Ρόντρικ να τον σηκώνεις ξημερώματα, γιατί ΛΑΤΡΕΥΕΙ τον ύπνο. Μια φορά, πέρυσι, ο Ρόντρικ είχε κοιμηθεί τριάντα έξι ΟΛΟΚΛΗΡΕΣ ώρες.

Είχε πέσει Κυριακή βράδυ και είχε ξυπνήσει Τρίτη πρωί, και μόλις την Τρίτη το βράδυ πήρε χαμπάρι πως είχε χάσει τη Δευτέρα.

Όμως ο Ρόντρικ βρήκε λύση στο νέο πρόγραμμα ύπνου του. Τώρα, όταν ο μπαμπάς τού λέει να σηκωθεί, ο Ρόντρικ παίρνει απλώς τα σκεπάσματα και την πέφτει για ύπνο στον καναπέ μέχρι το μεσημεριανό.

Τρίτη

Η μαμά κι ο μπαμπάς θα φύγουν για σαββατοκύριακο και θα αφήσουν εμένα και τον Ρόντρικ στον παππού. Είπαν ότι είχαν ΣΚΟΠΟ να μας αφήσουν μόνους μας σπίτι, αλλά αποδείξαμε ότι δεν είμαστε άξιοι εμπιστοσύνης.

Ο παππούς ζει σε ένα μέρος που είναι σαν γηροκομείο. Και πριν από λίγους μήνες, είχαμε περάσει μια βδομάδα με τον Ρόντρικ εκεί και ήταν ό,τι χειρότερο μου συνέβη όλο το καλοκαίρι.

Ο Μάνι θα μείνει με τη γιαγιά και θα έδινα ΤΑ ΠΑΝΤΑ να ήμουν στη θέση του. Η γιαγιά έχει πάντα ένα ψυγείο γεμάτο αναψυκτικά και λιχουδιές, και έχει επίσης καλωδιακή τηλεόραση με όλα τα κανάλια που παίζουν ταινίες.

Ο λόγος που πάει ο Μάνι στη γιαγιά είναι επειδή η γιαγιά τού έχει αδυναμία. Μόνο το ψυγείο της να κοιτάξεις και θα καταλάβεις.

Όμως, αν κατηγορήσεις τη γιαγιά ότι ξεχωρίζει τα εγγόνια της, δε θα συμφωνήσει.

Δεν είναι μόνο οι φωτογραφίες στο ψυγείο. Η γιαγιά έχει κρεμασμένες παντού στο σπίτι τις ζωγραφιές του Μάνι.

Το μόνο που έχει από ΕΜΕΝΑ η γιαγιά είναι ένα σημείωμα που είχα γράψει όταν ήμουν έξι. Της είχα θυμώσει γιατί δε μου έδινε παγωτό πριν από το φαγητό, κι έτσι της έγραψα:

Η γιαγιά έχει κρατήσει όλα αυτά τα χρόνια το σημείωμα και μου το τρίβει ΑΚΟΜΗ στη μούρη.

Μάλλον όλοι οι παππούδες έχουν μεγαλύτερη αδυναμία στο ένα από τα εγγόνια τους και το καταλαβαίνω. Τουλάχιστον εγώ είμαι η αδυναμία του παππού.

Σάββατο

Σήμερα η μαμά κι ο μπαμπάς μάς πήγαν με τον Ρόντρικ στον παππού, όπως είχαν πει.

Άρχισα να ψάχνω τρόπους να περάσω καλά, αλλά στο διαμέρισμα του παππού δεν έχει τίποτα της προκοπής, κι έτσι κάθισα να δω τηλεόραση. Όμως ο παππούς δε βλέπει αληθινές εκπομπές. Έχει απλώς την τηλεόραση συνδεδεμένη με την κάμερα ασφαλείας του κτιρίου που είναι στην είσοδο.

Ε, λίγο να κάτσεις να το παρακολουθήσεις αυτό και αρχίζεις να τρελαίνεσαι.

Και γύρω στις 5.00, ο παππούς μάς έφτιαξε να φάμε. Φτιάχνει συνήθως ένα απαίσιο πράγμα που το λένε «κρύα σαλάτα» και είναι ό,τι χειρότερο έχετε φάει ποτέ.

Βασικά είναι ένας αχταρμάς από κρύα φασολάκια και αγγούρι, που κολυμπάνε σε μια λίμνη από ξίδι.

Ο Ρόντρικ ξέρει ΠΟΣΟ τη σιχαίνομαι αυτή τη σαλάτα, έτσι, την προηγούμενη φορά που ήμασταν στου παππού, φρόντισε να μου βάλει ένα βουνό σαλάτα στο πιάτο.

Αναγκάστηκα να καταπιώ και την τελευταία αηδιαστική πιρουνιά, μόνο και μόνο για να μη στενοχωρήσω τον παππού.

Και τι κέρδισα που «έγλειψα» το πιάτο μου;

Απόψε, ο παππούς μάς έδωσε τη σαλάτα μας και έκανα πως την έτρωγα. Όμως την έχωσα κρυφά στην τσέπη μου.

Ήταν τελείως αηδιαστικό όταν το παγωμένο ξίδι άρχισε να τρέχει στο πόδι μου, αλλά, πιστέψτε με, ήταν χίλιες φορές καλύτερο απ' το να το ΦΑΩ.

Μετά το φαγητό, πήγαμε όλοι στο σαλόνι. Ο παππούς έχει κάτι πολύ παλιά επιτραπέζια παιχνίδια και μας βάζει να παίζουμε και οι τρεις.

Είναι ένα παιχνίδι που παίρνεις μια κάρτα και τη διαβάζεις, και ο άλλος παίκτης προσπαθεί να μη γελάσει.

Και πάντα νικάω εγώ τον παππού, γιατί δεν πιάνω τα αστεία στις κάρτες.

Και τον Ρόντρικ τον νικάω, αλλά επειδή εκείνος χάνει επίτηδες. Και όποτε είναι η σειρά μου να διαβάσω κάρτα, φροντίζει να έχει γεμίσει το στόμα του με γάλα.

Κατά τις δέκα ήμουν ήδη έτοιμος για ύπνο. Όμως ο Ρόντρικ πρόλαβε τον καναπέ, που σήμαινε πως εγώ έπρεπε να κοιμηθώ πάλι με τον παππού.

Το μόνο που έχω να πω είναι πως, αν η μαμά κι ο μπαμπάς ήθελαν να με τιμωρήσουν για τη συνενοχή μου στο πάρτι, ε, το κατάφεραν.

Κυριακή

Ο Ρόντρικ έχει μια εργασία για το Φεστιβάλ Φυσικών Επιστημών που κάνει το σχολείο του πριν από τα Χριστούγεννα και οι γονείς τον έχουν βάλει να την κάνει μόνος του αυτή τη φορά.

Πέρσι, η εργασία του Ρόντρικ είχε τίτλο: *Ταινίες Βίας: Κάνουν Πιο Βίαιους Τους Ανθρώπους;*

Νομίζα πως η όλη ιδέα ήταν να βάλει κάποιους ανθρώπους να δουν θρίλερ και μετά να ζωγραφίσει εικόνες που να δείχνουν πώς τους επηρέασαν οι ταινίες.

Όμως το θέμα της εργασίας δεν ήταν παρά μια δικαιολογία για να βλέπει ο Ρόντρικ θρίλερ με τους φίλους του τις καθημερινές.

Οι φίλοι του Ρόντρικ είδαν ένα κάρο ταινίες, αλλά δε ζωγράφισαν ούτε μία εικόνα. Και το βράδυ πριν από το Φεστιβάλ, ο Ρόντρικ δεν είχε τίποτα να δείξει.

Η μαμά κι ο μπαμπάς αναγκάστηκαν να ξελασπώσουν πάλι τον Ρόντρικ. Ο μπαμπάς έγραψε το κείμενο, η μαμά έφτιαξε αφίσες κι εγώ έκανα κάποιες ζωγραφιές.

Έβαλα τα δυνατά μου να φανταστώ τι μπορεί να ζωγράφιζαν τα παιδιά του λυκείου ύστερα από μια ταινία βίας.

Το χειρότερο είναι πως η μαμά ανησύχησε όταν είδε τι ζωγράφιζα και το βρήκε «ενοχλητικό». Που σημαίνει ότι μου απαγόρευσαν να βλέπω οτιδήποτε άλλο εκτός από προγράμματα «κατάλληλα για όλους» για την υπόλοιπη χρονιά.

Και μιλώντας για «ενοχλητικές» εικόνες, πού να δείτε τι κατεβάζει το μυαλό του Μάνι αυτές τις μέρες.

Ένα βράδυ, ο Ρόντρικ είχε αφήσει κατά λάθος μία από τις ταινίες μέσα στο DVD και όταν, την άλλη μέρα, ο Μάνι πήγε να δει κινούμενα σχέδια, πέτυχε την ταινία του Ρόντρικ.

Είδα μια-δυο απ' τις ζωγραφιές του μετά, και μέχρι κι ΕΓΩ κόντεψα να τα κάνω πάνω μου από το φόβο.

Τρίτη

Η μαμά κι ο μπαμπάς είχαν πει στον Ρόντρικ να έχει βρει το θέμα της εργασίας του μέχρι απόψε στις 6.00.

Όμως γύρω στις 6.45, τα πράγματα δεν έδειχναν καθόλου καλά.

Ο Ρόντρικ έβλεπε μια εκπομπή για αστροναύτες και τι παθαίνουν όταν έχουν περάσει πολύ καιρό στο Διάστημα. Η εκπομπή έλεγε ότι, όταν οι αστροναύτες επιστρέφουν στη Γη, είναι ΨΗΛΟΤΕΡΟΙ απ' ό,τι όταν έφυγαν.

Και ο λόγος είναι επειδή στο Διάστημα δεν υπάρχει βαρύτητα κι έτσι η σπονδυλική τους στήλη παθαίνει αποσυμπίεση ή κάτι τέτοιο.

Τέλος πάντων, ο Ρόντρικ βρήκε την ιδέα που έψαχνε.

Είπε στους γονείς ότι θα έκανε ένα πείραμα για την επίδραση της «μηδενικής βαρύτητας» στην ανθρώπινη σπονδυλική στήλη. Και έτσι που το περιέγραφε, νόμιζες πως από τα αποτελέσματα της έρευνας θα ωφελούνταν ολόκληρη η ανθρωπότητα.

Ο μπαμπάς, πάντως, εντυπωσιάστηκε. Ή ίσως ανακουφίστηκε απλώς που ο Ρόντρικ είχε τουλάχιστον βρει θέμα. Αλλά νομίζω πως το είδε διαφορετικά το πράγμα, όταν είπε στον Ρόντρικ να βγάλει έξω τα σκουπίδια.

Τετάρτη

Χθες στο σχολείο, ανακοίνωσαν τα δοκιμαστικά για το Μεγάλο Διαγωνισμό Ταλέντων.

Μόλις το έμαθα, μου κατέβηκε μια ΑΠΙΣΤΕΥΤΗ ιδέα για ένα κωμικό σκετς που θα μπορούσα να κάνω με τον Ράουλι. Αλλά πρέπει να παραδεχτώ πως ο ΑΛΗΘΙΝΟΣ λόγος που το έκανα ήταν για να μπορώ να μιλήσω στη Χόλι Χιλς, που είναι αδελφή της Χέδερ Χιλς και το πιο δημοφιλές κορίτσι στην τάξη.

Ε! ΑΠΑΓΟΡΕΥΕΤΑΙ ΝΑ ΑΝΕΒΑΙΝΕΙΣ ΣΤΟΝ ΚΑΝΑΠΕ, ΒΡΟΜΟΣΚΥΛΟ!
ΜΑ ΔΕΝ ΕΙΜΑΙ ΣΚΥΛΟΣ! Ο ΓΙΟΣ ΣΟΥ ΕΙΜΑΙ!
ΜΗ ΜΟΥ ΓΑΒΓΙΖΕΙΣ ΕΜΕΝΑ!
ΠΑΜΕ ΔΙΑΚΟΠΟΥΛΕΣ ΟΙ ΔΥΟ ΜΑΣ. ΘΑ ΣΕ ΒΑΛΟΥΜΕ ΣΤΟ ΚΥΝΟΤΡΟΦΕΙΟ.
ΜΑ ΘΕΛΩ ΝΑ ΕΡΘΩ ΜΑΖΙ ΣΑΣ!
ΚΑΛΑ. ΓΑΒ, ΓΑΒ, ΓΑΒ, ΚΑΙ Σ' ΕΣΕΝΑ!
ΤΕΛΟΣ

ΣΥΝΤΕΛΕΣΤΕΣ

ΚΕΙΜΕΝΟ: ΓΚΡΕΓΚ ΧΕΦΛΙ

ΣΚΗΝΟΘΕΣΙΑ: ΓΚΡΕΓΚ ΧΕΦΛΙ

ΜΠΑΜΠΑΣ: ΓΚΡΕΓΚ ΧΕΦΛΙ

ΜΑΜΑ: ΧΟΛΙ ΧΙΛΣ

ΑΓΟΡΙ-ΣΚΥΛΟΣ: ΡΑΟΥΛΙ ΤΖΕΦΕΡΣΟΝ

Έδειξα το κείμενο στον Ράουλι, αλλά δε χάρηκε και πολύ με την ιδέα.

Κι εγώ που νόμιζα πως θα χαιρόταν που θα τον έκανα πρωταγωνιστή. Αλλά, όπως λέει πάντα η μαμά, υπάρχουν κάτι άνθρωποι που δεν ικανοποιούνται με τίποτα.

Πέμπτη

Ο Ράουλι πήγε και βρήκε ΑΛΛΟ συνεργάτη για το Μεγάλο Διαγωνισμό Ταλέντων. Θα κάνει ταχυδακτυλουργικά μ' ένα παιδί από το καράτε του, τον Σκότι Ντάγκλας.

Κι αν θέλετε να ξέρετε αν ζηλεύω, θα σας το θέσω έτσι: Ο Σκότι Ντάγκλας πάει πρώτη δημοτικού. Πολύ τυχερός θα είναι ο Ράουλι, αν γλιτώσει το δούλεμα στο σχολείο.

Ο Μεγάλος Διαγωνισμός Ταλέντων είναι κοινός για το δημοτικό, το γυμνάσιο και το λύκειο μαζί. Που σημαίνει πως ο Ρόντρικ και το συγκρότημά του θα διαγωνίζονται μαζί με τον Ράουλι και τον Σκότι Ντάγκλας.

Ο Ρόντρικ έχει λαλήσει τελείως με το διαγωνισμό. Δεν έχουν ξαναπαίξει μπροστά σε κοινό και είναι η μεγάλη ευκαιρία για το συγκρότημα να τους προσέξει κάποιος.

Αλλά ο Ρόντρικ είναι ακόμη τιμωρία, που σημαίνει πως δεν πρέπει να βγαίνει από το σπίτι. Έτσι έρχεται το συγκρότημα σπίτι κάθε μέρα και κάνουν πρόβες στο υπόγειο. Νομίζω πως ο μπαμπάς σκέφτεται ότι θα έπρεπε να είχε διατυπώσει διαφορετικά την τιμωρία του Ρόντρικ.

Αν ο Ρόντρικ και το συγκρότημά του νομίζουν πως μπορούν να κερδίσουν στο διαγωνισμό, καλά θα κάνουν να παίξουν και λίγη αληθινή μουσική. Γιατί τις τελευταίες δύο πρόβες τις πέρασαν κάνοντας βλακείες με ένα καινούριο πετάλι για την κιθάρα που αγόρασαν και που κάνει ηχώ.

Παρασκευή

Ο μπαμπάς έκοψε την τιμωρία του Ρόντρικ δυο βδομάδες νωρίτερα, γιατί είχε τρελαθεί ν' ακούει τις πρόβες που έκαναν οι Ξερατοσακούλες κάθε μέρα. Έτσι, απόψε, ο Ρόντρικ πήγε στο φίλο του τον Γουάρντ για το σαββατοκύριακο.

Και με τον Ρόντρικ φευγάτο, το υπόγειο ήταν ελεύθερο. Έτσι κάλεσα τον Ράουλι να κοιμηθεί εδώ το βράδυ.

Αγοράσαμε κάμποσα ζαχαρωτά και αναψυκτικά και ο Ράουλι έφερε τη φορητή του τηλεόραση. Μέχρι και δυο-τρία θρίλερ του Ρόντρικ καταφέραμε να τσιμπήσουμε, οπότε ήμασταν μια χαρά. Αλλά τότε κατέβηκε η μαμά μαζί με τον Μάνι.

Ο μόνος λόγος που μας φόρτωσε τον Μάνι η μαμά είναι για να μας κατασκοπεύσει και να μάθει αν κάναμε καμιά σκανταλιά.

Κάθε που έρχεται κάποιος να κοιμηθεί εδώ το βράδυ, ο Μάνι μού το χαλάει. Η περασμένη φορά που είχε έρθει ο Ράουλι ήταν και η ΧΕΙΡΟΤΕΡΗ.

Μάλλον κρύωνε ο Μάνι μες στη μέση της νύχτας και χώθηκε στον υπνόσακο του Ράουλι για να ζεσταθεί.

Ο Ράουλι φρίκαρε τόσο, που σηκώθηκε κι έφυγε. Και από τότε δεν ξανάρθε να κοιμηθεί εδώ.

Κάτι μου έλεγε πως ο Μάνι θα χάλαγε ακόμη μια νύχτα. Δε γινόταν πια να δούμε θρίλερ, οπότε αποφασίσαμε να παίξουμε επιτραπέζια.

Έλα όμως που τα βαριέμαι τα επιτραπέζια και ο Ράουλι μου την έσπαγε πολύ απόψε.

Κάθε πέντε λεπτά πήγαινε τουαλέτα και όταν γύριζε, κλοτσούσε ένα μαξιλάρι.

Εντάξει, ήταν αστείο μια-δυο φορές, αλλά από την τρίτη έγινε πολύ εκνευριστικό. Έτσι, την επόμενη φορά που πήγε ο Ράουλι τουαλέτα, αποφάσισα να του κάνω φάρσα.

Έβαλα κάτω από το μαξιλάρι ένα από τα βαράκια του μπαμπά και όταν ο Ράουλι ξανακατέβηκε, του έδωσε μια γερή κλοτσιά!

Ε, δεν ήθελε και πολύ. Ο Ράουλι άρχισε να κλαψουρίζει σαν μωρό και άντε να τον ησυχάσεις τώρα.

Με όλη αυτή τη φασαρία, κατέβηκε κι η μαμά.

Έριξε μια ματιά στο μεγάλο δάχτυλο του ποδιού του Ράουλι και πολύ ανησύχησε. Νομίζω πως φοβάται μην πάθει κι άλλο ατύχημα σπίτι μας ο Ράουλι, ύστερα από το συμβάν με την μπάλα από αλουμινόχαρτο. Έτσι, τον πήγε σπίτι του.

Χάρηκα που δε μας ρώτησε πώς είχε χτυπήσει ο Ράουλι.

Με το που έφυγαν, ήξερα πως έπρεπε να πάρω τον Μάνι με το μέρος μου.

Ο Μάνι με είχε δει να βάζω το βαράκι κάτω από το μαξιλάρι και ήξερα πως θα πήγαινε να πει στη μαμά τι έκανα. Έτσι σκέφτηκα ένα κόλπο για να μη με καρφώσει.

Έφτιαξα μια βαλίτσα και είπα στον Μάνι πως θα έφευγα από το σπίτι, γιατί δεν είχα το θάρρος να αντιμετωπίσω τη μαμά έπειτα απ' όσα έκανα.

Μετά βγήκα από το σπίτι και έκανα πως έφευγα για πάντα.

Την ιδέα την είχα ξεσηκώσει από τον Ρόντρικ. Το ίδιο μού έκανε συνέχεια, όταν εκείνος είχε κάνει κάτι κακό και ήξερε πως θα πάω να τον μαρτυρήσω. Έκανε πως έφευγε για πάντα και ύστερα από πέντε λεπτά, ξαναγύριζε.

Αλλά μέχρι να περάσουν τα πέντε λεπτά, εγώ ήμουν έτοιμος να τον συγχωρήσω, ό,τι κι αν είχε κάνει.

Έτσι, όταν είπα στον Μάνι πως έφευγα για πάντα, έκλεισα την πόρτα και έμεινα να περιμένω έξω για μερικά λεπτά. Όταν ξανάνοιξα την πόρτα, περίμενα πως θα τον βρω να πλαντάζει. Αλλά ο Μάνι είχε εξαφανιστεί. Άρχισα να τον ψάχνω σ' όλο το σπίτι και μαντέψτε πού τον βρήκα!

Στο υπόγειο να τρώει τα ζαχαρωτά.

Τέλος πάντων. Ας τα φάει όλα, αν είναι να μη με μαρτυρήσει.

Σάββατο

Το πρωί ξύπνησα και κατέβηκα στην κουζίνα. Αλλά μια ματιά στην έκφραση της μαμάς αρκούσε για να καταλάβω πως ο Μάνι με είχε πουλήσει.

Ναι, πήγε στη μαμά και της είπε τα πάντα. Μέχρι και για τα θρίλερ. ΑΥΤΟ, πάλι, μη με ρωτήσετε πώς το ήξερε.

Η μαμά με έβαλε να πάρω τηλέφωνο τον Ράουλι να του ζητήσω συγγνώμη και ύστερα με έβαλε να ζητήσω συγγνώμη και από τους ΓΟΝΕΙΣ του. Δε νομίζω να με ξανακαλέσουν σπίτι τους για κάμποσο καιρό.

Στη συνέχεια, η μαμά μίλησε με την κυρία Τζέφερσον. Που της είπε πως ο Ράουλι είχε σπάσει το μεγάλο δάχτυλο του ποδιού του και πως έπρεπε να μείνει στο κρεβάτι μια βδομάδα.

Η κυρία Τζέφερσον είπε πως ο Ράουλι είχε «πληγωθεί πολύ», γιατί θα έχανε τα δοκιμαστικά του Διαγωνισμού Ταλέντων. Μια βδομάδα έκανε πρόβες στα μαγικά του με τον Σκότι Ντάγκλας.

Έτσι, η μαμά είπε στην κυρία Τζέφερσον πως εγώ θα ΧΑΙΡΟΜΟΥΝ ΙΔΙΑΙΤΕΡΑ να αντικαταστήσω τον Ράουλι στα δοκιμαστικά. Σαν τρελός τραβούσα το μανίκι της μαμάς για να της δώσω να καταλάβει πως ήταν ΤΡΑΓΙΚΗ η ιδέα της, αλλά φυσικά με αγνόησε.

Μόλις έκλεισε το τηλέφωνο, δήλωσε στη μαμά πως το τελευταίο πράγμα που ήθελα να μου συμβεί στο σχολείο ήταν να ανεβώ σε μια σκηνή και να κάνω μαγικά με ένα πιτσιρίκι του δημοτικού.

Αλλά η μαμά δε μου τη χάρισε. Με πήγε στο σπίτι του Σκότι και εξήγησε στη μαμά του το πώς είχε η κατάσταση. Τώρα είναι που δεν τη γλιτώνω με τίποτα.

Η κυρία Ντάγκλας με κάλεσε να περάσω και πήγα με τον Σκότι στο δωμάτιό του για την πρόβα. Και το πρώτο πράγμα που ανακάλυψα ήταν πως ο Ράουλι με τον Σκότι δεν ήταν ακριβώς ίσοι στο νούμερο που ετοίμαζαν. Για την ακρίβεια, ο Ράουλι ήταν ο ΒΟΗΘΟΣ του Σκότι.

Είπα στον μικρό πως αποκλείεται να κάνω το βοηθό του ταχυδακτυλουργού σε ένα πρωτάκι. Όμως ο Σκότι είπε πως δικό του ήταν το σετ με τα μαγικά και μετά έπαθε κρισάρα.

Έτσι, για να τον καλμάρω, δέχτηκα. Γιατί, πιστέψτε με, είχα ήδη αρκετούς μπελάδες.

Τότε ο Σκότι μού έδωσε μια μπλούζα γεμάτη στρας και μου εξήγησε ότι είναι το κοστούμι μου.

Ούτε τις απόκριες δε θα φόραγα τέτοιο πράγμα. Ενημέρωσα τον Σκότι πως ίσως έπρεπε να φορέσω κάτι πιο μοντέρνο, ένα δερμάτινο μπουφάν, για παράδειγμα, αλλά είπε πως δε θα ήταν αρκετά «μαγικό».

Τέλος πάντων, το μόνο που έχω να κάνω τελικά είναι να δίνω στον Σκότι τα σύνεργά του στη σκηνή. Ίσως να μην είναι και πολύ χάλια το πράγμα.

Όμως ξαναρωτήστε με πώς νιώθω αν περάσουμε το δοκιμαστικό και κάνω το ίδιο στη σκηνή μπροστά σε πεντακόσιους ανθρώπους και όχι μόνο μπροστά στη μικρή αδελφή του Σκότι.

Κυριακή

Τουλάχιστον βγήκε ΕΝΑ καλό πράγμα από το νούμερο με τον Σκότι Ντάγκλας: μου έδωσε ένα κάρο νέες ιδέες για το στριπάκι με τον Ξενοφώντα τον Ξεφτίλα.

Ο Ράουλι σταμάτησε να κάνει το δικό του κόμικ, το «Ντόιν-Όιν-Όιν», για τη σχολική εφημερίδα, γιατί είπε πως ήθελε περισσότερο χρόνο για να παίζει με τους Δεινόσαυρους Μαχητές του. Που σημαίνει ότι η θέση για τη στήλη κόμικς είναι πάλι ανοιχτή και ίσως έχω πιθανότητες.

Δευτέρα

Καλά τα νέα από το Μεγάλο Διαγωνισμό Ταλέντων. Τα δοκιμαστικά ήταν σήμερα και εγώ με τον Σκότι δεν περάσαμε.

Εντάξει, μπορούσα να τα είχα πάει και καλύτερα ως βοηθός του Σκότι. Αλλά δεν το έκανα και τελείως ΕΠΙΤΗΔΕΣ. Απλώς ξέχασα να του δώσω τα σύνεργά του μια-δυο φορές.

Το γελοίο είναι πάντως πως ήμασταν οι μόνοι που κοπήκαμε.

Το ξέρω πως δεν ήμασταν και το πιο σούπερ νούμερο σήμερα, αλλά δεν ήμασταν και Ο,ΤΙ ΧΕΙΡΟΤΕΡΟ. Κάποια νούμερα ήταν πολύ πιο χάλια απ' το δικό μας.

Ένας πιτσιρικάς του νηπιαγωγείου, ο Χάρι Γκίλμπερτσον, πέρασε και δεν έκανε τίποτε άλλο απ' το να πατινάρει γύρω γύρω με μουσική υπόκρουση ένα δημοτικό τραγούδι!

Και το συγκρότημα του Ρόντρικ πέρασε, οπότε κάνει τώρα λες και είναι κανένα φοβερό κατόρθωμα.

Όπως είπα πριν, ο Ρόντρικ έχει ενθουσιαστεί με το Μεγάλο Διαγωνισμό Ταλέντων. Σκέψου ότι τέλειωσε την εργασία του μια μέρα ΝΩΡΙΤΕΡΑ, ώστε να προλάβει να κάνει κι άλλες πρόβες με το συγκρότημα πριν από τη μεγάλη βραδιά.

Όμως, όταν ο Ρόντρικ παρέδωσε την εργασία του, ο καθηγητής τού είπε να την ξανακάνει απ' την αρχή. Είπε πως ο Ρόντρικ δεν είχε χρησιμοποιήσει την «επιστημονική μέθοδο», με υπόθεση και συμπέρασμα και τα διάφορα.

Ο Ρόντρικ είπε στον καθηγητή πως ψήλωσε ένα τέταρτο του πόντου κατά τη διάρκεια του πειράματός του σε «μηδενική βαρύτητα», οπότε αυτό αποδείκνυε τη θεωρία του.

Όμως ο καθηγητής υποστήριξε πως στην ηλικία του Ρόντρικ είναι φυσιολογικό να ψηλώνει ένα παιδί.

Τέλος πάντων, πίκρα η φάση, γιατί κι εγώ είχα αποφασίσει να κάνω εργασία για το Φεστιβάλ Φυσικών Επιστημών πάνω στη «μηδενική βαρύτητα».

Και τώρα όλη η έρευνα που έκανα πήγε στράφι.

Ο μπαμπάς είπε στον Ρόντρικ να παρατήσει το διαγωνισμό και να στρωθεί στο πείραμά του, αλλά ο Ρόντρικ απάντησε όχι.

Είπε μάλιστα πως δεν τον ΕΝΔΙΑΦΕΡΕΙ πια το σχολείο. Είπε πως στόχος του είναι να κερδίσει στο Μεγάλο Διαγωνισμό Ταλέντων και να πάει την κασέτα με τα τραγούδια σε δισκογραφική εταιρεία και να υπογράψουν συμβόλαιο. Έτσι θα παρατήσει το σχολείο και θα ασχοληθεί με το συγκρότημα μόνο.

Χάλια στόχος μού φαίνεται εμένα, αλλά νομίζω πως ο μπαμπάς δεν έχει την ίδια άποψη.

Τετάρτη

Απόψε ήταν ο Μεγάλος Διαγωνισμός Ταλέντων. Δεν ήθελα να πάω. Ούτε ο μπαμπάς ήθελε να πάει, αλλά η μαμά μάς ανάγκασε να πάμε για να υποστηρίξουμε τον Ρόντρικ.

Ο Ρόντρικ και η μαμά πήγαν νωρίς στο σχολείο σήμερα, για να κουβαλήσουν διάφορα που χρειαζόταν το συγκρότημα, οπότε ο μπαμπάς αναγκάστηκε να μπει στο βαν του Ρόντρικ με τον Μπιλ. Και καθόλου δε χάρηκε όταν πέτυχε στο πάρκινγκ το διευθυντή του στη δουλειά.

Ο διαγωνισμός άρχισε στις 7.00 και πρέπει να σας πω ότι ήταν φρικτή ιδέα να βάλουν και τα τρία σχολεία μαζί.

Έβγαιναν κάτι πιτσιρίκια του νηπιαγωγείου που τραγουδούσαν στα αρκουδάκια τους και μετά είχες κάτι μαντραχαλάδες του λυκείου, που έπαιζαν σόλο σπιντ-μέταλ στην ηλεκτρική κιθάρα.

Δε νομίζω πως ο μπαμπάς ενέκρινε τον Λάρι Λάρκιν, που ήταν γεμάτος σκουλαρίκια. Και κάπου στα μισά του σόλο, ο μπαμπάς έσκυψε και ψιθύρισε κάτι στον τύπο που καθόταν στο διπλανό κάθισμα.

Μακάρι να είχα προλάβει να ειδοποιήσω τον μπαμπά ότι ο τύπος δίπλα του ήταν ο πατέρας του Λάρι.

Άλλο ένα πρόβλημα με το συνδυασμό των τριών σχολείων ήταν πως τα νούμερα δεν τέλειωναν με τίποτα και ο διαγωνισμός δεν έλεγε να ολοκληρωθεί.

Κατά τις 9.30 αποφάσισαν να βγάζουν δυο δυο τα νούμερα για να προχωρήσει το πρόγραμμα πιο γρήγορα. Καμιά φορά έπιανε, όπως όταν βγήκε η Πάτι Φάρελ να χορέψει κλακέτες, την ώρα που ο Σπένσερ Κιτ έκανε ζογκλερικά. Όμως κάποιες άλλες φορές ήταν χάλια, όπως όταν ο Τέρενς Τζέιμς έπαιζε φυσαρμόνικα πάνω σε μονόκυκλο ποδήλατο, την ώρα που η Κλαρίς Κλάιν διάβαζε το ποίημά της για την υπερθέρμανση του πλανήτη.

Το συγκρότημα του Ρόντρικ ήταν το τελευταίο που βγήκε στη σκηνή.

Πριν από την παράσταση, ο Ρόντρικ μού είχε ζητήσει να βιντεοσκοπήσω την εμφάνισή τους, αλλά του είπα ΑΠΟΚΛΕΙΕΤΑΙ.

Μου φέρεται τόσο απαίσια τελευταία, που δεν το πίστευα όταν ήρθε να μου ζητήσει και χάρη. Έτσι, ανέλαβε η μαμά την κάμερα.

Το συγκρότημα του Ρόντρικ θα έβγαινε μαζί με έναν πιτσιρικά που έκανε πατίνια. Και είμαι σίγουρος πως ο Ρόντρικ δε χάρηκε καθόλου με το συνδυασμό.

Πρόσεξα πως ο μπαμπάς είχε φύγει από δίπλα μου όσο έπαιζε ο Ρόντρικ και πήγα να τον βρω.

Είχε πάει στο τέρμα του γυμναστηρίου και είχε βάλει βαμβάκια στ' αυτιά του, περιμένοντας να τελειώσει το τραγούδι.

Μόλις τέλειωσε και το συγκρότημα του Ρόντρικ, μοίρασαν τα βραβεία. Ο Ρόντρικ και οι δικοί του δεν πήραν τίποτε, αλλά ο Χάρι Γκίλμπερτσον πήρε το βραβείο για το «Καλύτερο Μουσικό Νούμερο».

Αλλά δεν μπορείτε να φανταστείτε ποιος πήρε το πρώτο βραβείο: Ο μπέιμπι-σίτερ του Ράουλι, ο Λίλαντ.

Κέρδισε με ένα νούμερο εγγαστρίμυθου και οι κριτές είπαν πως ήταν «αρίστου ηθικής».

Δεν πίστευα πως θα συμφωνούσα ποτέ σε κάτι με τον Ρόντρικ, αλλά τελικά είχε δίκιο που έλεγε τον Λίλαντ μεγάλο σπασίκλα.

Μετά το διαγωνισμό, ο Ρόντρικ και το συγκρότημα ήρθαν σπίτι μας να δουν το βίντεο από την εμφάνισή τους.

Γκρίνιαζαν όλοι πως τους αδίκησαν και πως οι κριτές δεν είχαν ιδέα από αληθινό ροκ.

Έτσι, το νέο τους σχέδιο ήταν να στείλουν το βίντεο σε μερικές δισκογραφικές και να αφήσουν τη συναυλία να μιλήσει από μόνη της.

Κάθισαν όλοι μπροστά στην τηλεόραση και ο Ρόντρικ έβαλε το βίντεο να παίξει. Όμως μέσα σε μισό λεπτό, όλοι είχαν καταλάβει πως το βίντεο ήταν παντελώς άχρηστο.

Θυμάστε που ο Ρόντρικ είπε στη μαμά να τραβήξει τη συναυλία; Εντάξει, δεν έκανε άσχημη δουλειά, μόνο που τα δύο πρώτα λεπτά δεν έβαλε γλώσσα μέσα και το μικρόφωνο κατέγραψε και το παραμικρό σχόλιο.

Και κάθε που ο Μπιλ έβγαζε τη γλώσσα του σαν ροκ σταρ, άκουγες και την άποψη της μαμάς μαζί.

Η μόνη φορά που η μαμά δε μίλησε ήταν όταν ο Ρόντρικ έκανε το σόλο του. Όμως και τότε, η κάμερα κουνιόταν τόσο πολύ, που δεν μπορούσες να δεις τίποτα.

Στην αρχή, ο Ρόντρικ και οι άλλοι είχαν τσατιστεί πολύ. Αλλά μετά, ο ένας θυμήθηκε πως και το σχολείο είχε τραβήξει το διαγωνισμό, οπότε λογικά θα τον πρόβαλαν αύριο βράδυ στο τοπικό κανάλι.

Που σημαίνει πως και αύριο εδώ θα τους έχουμε όλους αυτούς.

Πέμπτη

Τι να πω; Τα πράγματα έχουν πάει απ' το κακό στο ΧΕΙΡΟΤΕΡΟ για μένα τις τελευταίες ώρες.

Ο Ρόντρικ και οι φίλοι του ήρθαν κατά τις 7.00 για να δουν το διαγωνισμό στην τηλεόραση. Και είδαν όλο το τρίωρο μέχρι να βγει το συγκρότημά τους.

Δεν είχε κάνει κι άσχημη δουλειά το σχολείο με τη βιντεοσκόπηση και όλα φαίνονταν μια χαρά, μέχρι που έφτασε η ώρα για το σόλο του Ρόντρικ.

Τότε ήταν που η μαμά το 'ριξε στο χορό. Και όποιος ήταν αυτός που τραβούσε το βίντεο, έστρεψε την κάμερα στη μαμά και ζούμαρε. Ε, μέχρι που τέλειωσε το τραγούδι, μόνο τη μαμά έβλεπες στην οθόνη.

Που σημαίνει πως ο Ρόντρικ δεν είχε ΤΙΠΟΤΑ να στείλει στις δισκογραφικές. Γι' αυτό και τα πήρε τελείως μαζί μου.

Πρώτα τα πήρε με τη μαμά που τράβηξε χάλια βίντεο. Αλλά η μαμά τού είπε πως, αν δεν ήθελε να χορεύει ο κόσμος, τότε να μην έπαιζε μουσική.

Μετά ο Ρόντρικ γύρισε σε ΕΜΕΝΑ. Είπε πως ΕΓΩ έφταιγα για όλα, γιατί αν είχα τραβήξει εγώ με την κάμερα, όπως μου είχε ζητήσει, τίποτα δε θα είχε συμβεί.

Και μετά του είπα εγώ πως, αν δεν ήταν τόσο κόπανος, μπορεί και να του είχα κάνει τη χάρη να τραβήξω το βίντεο.

Έτσι αρχίσαμε να ουρλιάζουμε ο ένας στον άλλο. Η μαμά κι ο μπαμπάς μπήκαν στη μέση και μας χώρισαν. Έστειλαν τον Ρόντρικ στο δωμάτιό του κι εμένα στο δικό μου.

Αλλά ύστερα από μια-δυο ώρες, πήγα κάτω και πέτυχα τον Ρόντρικ στην κουζίνα. Χαμογελούσε, οπότε ήξερα πως κάτι σκάρωνε.

Μου είπε, λοιπόν, πως το μυστικό μου είχε αποκαλυφθεί.

Στην αρχή, δεν κατάλαβα για τι πράγμα μιλούσε.
Και μετά θυμήθηκα: μιλούσε γι' αυτό που μου είχε συμβεί το καλοκαίρι.

Έτρεξα στο υπόγειο και πήρα το κινητό του Ρόντρικ να δω αν είχε κάνει τίποτα τηλεφωνήματα. Και πράγματι, είχε πάρει όλους του τους φίλους που είχαν αδέλφια στην ηλικία μου.

Οπότε αύριο το πρωί, ΟΛΟΙ στο σχολείο θα ξέρουν πια την ιστορία μου. Και είμαι σίγουρος πως ο Ρόντρικ τα φούσκωσε λίγο τα πράγματα για να τα κάνει ακόμη ΧΕΙΡΟΤΕΡΑ.

Τώρα λοιπόν που βγήκε στη φόρα το μυστικό μου, θέλω να σας πω τι ΠΡΑΓΜΑΤΙΚΑ συνέβη, και όχι τη διεστραμμένη εκδοχή του Ρόντρικ.

Έχουμε και λέμε:

Το καλοκαίρι, εγώ και ο Ρόντρικ πήγαμε μερικές μέρες να μείνουμε στον παππού, στο διαμέρισμά του στον Οίκο Ευγηρίας. Όμως δεν είχα ΤΙΠΟΤΑ να κάνω και κόντευε να μου στρίψει.

Βαριόμουν τόσο πολύ, που έβγαλα το παλιό μου ημερολόγιο και άρχισα να γράφω. Έλα όμως που το να βγάλεις ένα τετράδιο με τίτλο «ημερολόγιο» μπροστά στον Ρόντρικ ήταν ΤΕΡΑΣΤΙΟ λάθος.

Ο Ρόντρικ μού βούτηξε το τετράδιο και το 'βαλε στα πόδια. Και μπορεί να κατάφερνε να πάει να κλειδωθεί στο μπάνιο να το διαβάσει, αν δεν είχε σκοντάψει σε ένα παρατημένο επιτραπέζιο παιχνίδι στο πάτωμα.

Άρπαξα το τετράδιο απ' το πάτωμα και βγήκα βολίδα στο διάδρομο. Κατέβηκα τις σκάλες και πήγα να χωθώ στις κοινές τουαλέτες του κάτω ορόφου.

Κάτω από την κάθε πόρτα υπήρχε κενό, οπότε κόλλησα στον τοίχο για να μη δει τα πόδια μου ο Ρόντρικ και καταλάβει πως ήμουν μέσα.

Ήξερα πως, αν ο Ρόντρικ διάβαζε το ημερολόγιό μου, η ζωή μου θα γινόταν εφιάλτης. Έτσι, αποφάσισα να το κάνω κομματάκια, να τα πετάξω στη λεκάνη και να τραβήξω το καζανάκι. Καλύτερα να το καταστρέψω, παρά να το βρει εκείνος.

Αλλά με το που άρχισα να σκίζω τις σελίδες, άκουσα την έξω πόρτα να ανοίγει. Νόμιζα πως ήταν ο Ρόντρικ, κι έμεινα τελείως ακίνητος.

Δεν άκουγα κανένα θόρυβο πια, οπότε έβγαλα το κεφάλι πάνω από την πόρτα να δω τι συνέβαινε. Τότε είδα μια γυναίκα μπροστά στον καθρέφτη να βάζει κραγιόν.

Σκέφτηκα πως μάλλον είχε μπει κατά λάθος στις αντρικές τουαλέτες, γιατί οι γέροι όλο τέτοια λάθη κάνουν.

Πάνω που πήγα να ανοίξω το στόμα μου και να πω στην κυρία πως είχε πάει στο λάθος μπάνιο, άνοιξε ξανά η πόρτα. Και μπήκε ΑΛΛΗ μια γυναίκα.

Τότε κατάλαβα πως το λάθος το είχα κάνει εγώ και αντί να πάω στις αντρικές τουαλέτες, είχα πάει στις ΓΥΝΑΙΚΕΙΕΣ!

Προσευχόμουν με όλη μου τη δύναμη να τελειώσουν ό,τι έκαναν στο μπάνιο αυτές οι γυναίκες και να φύγουν, για να μπορώ να το σκάσω κι εγώ. Έλα όμως που μπήκαν στις διπλανές μου τουαλέτες και μέχρι να βγουν, όλο και κάποια άλλη είχε μπει στο μπάνιο. Είχα παγιδευτεί για τα καλά.

Αν ο Ράουλι φρίκαρε που εκείνα τα παιδιά τον έβαλαν τότε να φάει το Τυρί, πού να έμενε κλειδωμένος στις γυναικείες τουαλέτες του γηροκομείου για μιάμιση ώρα!

Μάλλον κάποιος με άκουσε κάποια στιγμή και με ανέφεραν στη γραμματεία. Και μέσα σε λίγα λεπτά, τα νέα κυκλοφόρησαν και όλοι έμαθαν πως υπήρχε «ματάκιας» στις γυναικείες τουαλέτες.

Με το που ήρθε η Ασφάλεια να με βγάλει, όλοι οι ένοικοι είχαν μαζευτεί στην είσοδο. Και ο Ρόντρικ είδε όλη τη φάση από την τηλεόραση του παππού.

Τώρα που βγήκε στη φόρα η ιστορία, ήξερα πως δεν μπορούσα να παρουσιαστώ πια στο σχολείο. Πρότεινα, λοιπόν, στη μαμά να με πάει σε άλλο. Μάλιστα της είπα και το λόγο.

Η μαμά απάντησε να μην ανησυχώ τι λένε οι άλλοι. Με καθησύχασε πως οι συμμαθητές μου θα καταλάβαιναν πως είχα κάνει ένα «τίμιο λάθος».

Που αποδεικνύει για άλλη μια φορά πως η μαμά δεν καταλαβαίνει ΤΙΠΟΤΑ για τα παιδιά της ηλικίας μου.

Τώρα χτυπιέμαι που δεν κράτησα τον Μαμαντού για αλληλογράφο. Γιατί αν είχαμε κρατήσει επαφή, θα μπορούσα να πάω στη Γαλλία, σε ανταλλαγή μαθητών, και να κρυφτώ ΕΚΕΙ για κάμποσα χρόνια.

Το μόνο μέρος που ΔΕ θέλω να βρεθώ αύριο είναι το σχολείο. Και απ' ό,τι όλα δείχνουν, είναι το μόνο μέρος όπου θα πάω.

Παρασκευή

Καλά, συνέβη το ΠΙΟ ΤΡΕΛΟ σήμερα. Όταν άνοιξα την πόρτα του σχολείου, κάμποσοι τύποι με στρίμωξαν και ετοιμάστηκα για γερό δούλεμα. Όμως αντί για δούλεμα, άρχισαν να μου δίνουν ΣΥΓΧΑΡΗΤΗΡΙΑ!

Με χτυπούσαν στην πλάτη, μου έσφιγγαν το χέρι και δεν είχα ιδέα ΓΙΑΤΙ όλα αυτά.

Μιλούσαν όλοι ταυτοχρόνως, οπότε μου πήρε κάμποση ώρα να αντιληφθώ τι ακριβώς είχε γίνει. Αλλά νομίζω πως στο περίπου κατάλαβα.

Ο Ρόντρικ είπε διάφορα στους φίλους του κι εκείνοι τα μετέφεραν στα αδέλφια τους και τα αδέλφια στους δικούς τους φίλους.

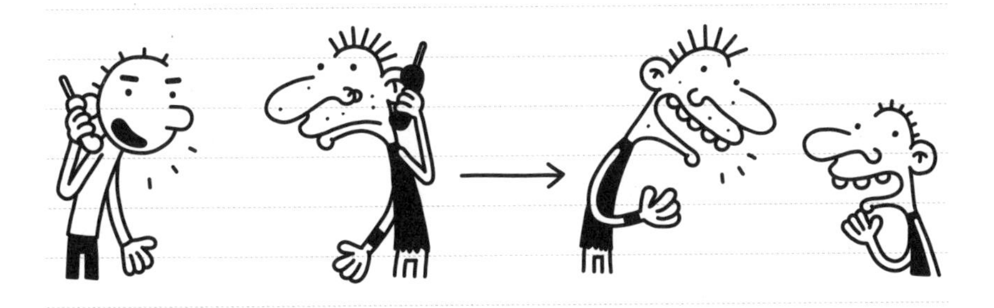

Με το που κυκλοφόρησαν τα νέα, οι λεπτομέρειες παραμπερδεύτηκαν.

Έτσι, η αρχική ιστορία, μ' εμένα να μπαίνω κρυφά στις γυναικείες τουαλέτες του Οίκου Ευγηρίας, μεταμορφώθηκε σε μια άλλη που με ήθελε να κρύβομαι στα αποδυτήρια των κοριτσιών στο ΓΥΜΝΑΣΙΟ του Κρόσλαντ.

Δεν το πίστευα πως είχε διαστρεβλωθεί έτσι η ιστορία, αλλά δεν είχα σκοπό και να τους διορθώσω.

Και ξαφνικά είχα γίνει ο ήρωας του σχολείου. Μέχρι και παρατσούκλι μού έβγαλαν. Τώρα όλοι με φώναζαν «Αποδυτηριάκια».

Κάποιος μάλιστα μου έφτιαξε και μια μπαντάνα για το κεφάλι που έγραφε Αποδυτηριάκιας και τη φόρεσα. Τέτοια πράγματα δε μου συμβαίνουν ΠΟΤΕ εμένα, κι έτσι ήθελα να απολαύσω τη δόξα μου.

Και για πρώτη φορά στα χρονικά, ένιωσα το πώς είναι να είσαι το πιο δημοφιλές παιδί του σχολείου.

Δυστυχώς, τα κορίτσια δεν εντυπωσιάστηκαν μαζί μου όσο τα αγόρια. Για να λέμε την αλήθεια, νομίζω πως θα δυσκολευτώ κάμποσο να βρω ντάμα για το χορό του Αγίου Βαλεντίνου.

Δευτέρα

Θυμάστε που ο Ρόντρικ ήθελε να προσέξει κάποιος το συγκρότημα; Ε, συνέβη κι αυτό τελικά, γιατί τώρα ΟΛΟΙ ξέρουν τις Ξερατοσακούλες.

Μάλλον κάποιος είχε βρει πολύ αστείο το βίντεο με τη μαμά που χορεύει στο διαγωνισμό και το ανέβασε στο Ίντερνετ. Και τώρα όλοι ξέρουν τον Ρόντρικ ως τον ντράμερ απ' το βίντεο με τη «Μαμά Που Χορεύει».

Από τότε, ο Ρόντρικ κρύβεται στο υπόγειο, περιμένοντας να ξεφουσκώσει λίγο η φάση. Και πρέπει να παραδεχτώ πως τον λυπάμαι κάπως.

Κι εμένα με δουλεύουν στο σχολείο για το βίντεο, αλλά τουλάχιστον δεν είμαι ΜΕΣΑ.

Αλλά, παρόλο που ο Ρόντρικ είναι τεράστιος κόπανος ώρες ώρες, δεν παύει να είναι ΑΔΕΛΦΟΣ μου.

Αύριο είναι το Φεστιβάλ Φυσικών Επιστημών και αν ο Ρόντρικ δε δείξει εργασία, θα μείνει στο μάθημα.

Γι' αυτό και προσφέρθηκα να τον βοηθήσω με την εργασία για πρώτη και τελευταία φορά. Όλη νύχτα δουλεύαμε και, δε θέλω να το παινευτώ, αλλά τα πήγαμε θαυμάσια.

Κι όταν ο Ρόντρικ πάρει το πρώτο βραβείο αύριο και περάσει Φυσική, ελπίζω να καταλάβει πόσο τυχερός είναι που έχει ΕΜΕΝΑ για αδελφό.

ΕΥΧΑΡΙΣΤΙΕΣ

Θα είμαι παντοτινά ευγνώμων στην οικογένειά μου, που μου πρόσφερε την έμπνευση, την ενθάρρυνση και την υποστήριξη που χρειαζόμουν για να δημιουργήσω αυτά τα βιβλία. ´Ενα μεγάλο ευχαριστώ στα αδέλφια μου, Σκοτ και Πατ, στην αδελφή μου, Ρε, και στους γονείς μου. Χωρίς εσάς δε θα υπήρχαν οι Χέφλι. Ευχαριστώ τη σύζυγό μου Τζούλι και τα παιδιά μου, που έχουν κάνει τόσο πολλές θυσίες για να κάνω το όνειρό μου πραγματικότητα. Επίσης ευχαριστώ τα πεθερικά μου, τον Τομ και την Γκέιλ, οι οποίοι ήταν πάντα έτοιμοι να βοηθήσουν, κάθε φορά που έπρεπε να προλάβω κάποια προθεσμία.

´Ενα μεγάλο ευχαριστώ στον επιμελητή μου Τσάρλι Κόχμαν, ένα θαυμάσιο άνθρωπο, καθώς και στους συνεργάτες μου: Τζέισον Ουέλς, Χάουαρντ Ριβς, Σούζαν Βαν Μίτρι, Τσαντ Μπέκερμαν, Σαμάρα Κλάιν, Βάλερι Ραλφ, και Σκοτ Άουερμπαχ. ´Ενα ιδιαίτερο ευχαριστώ στο Μάικλ Τζέικομπς.

Επίσης, ευχαριστώ την Τζες Μπράλιερ, που έφερε τον Γκρεγκ Χέφλι στον κόσμο μέσω του Funbrain.com., καθώς και την Μπέτσι Μπερντ, που προσπάθησε να διαδώσει το ΗΜΕΡΟΛΟΓΙΟ ΕΝΟΣ ΣΠΑΣΙΚΛΑ σε κάθε άκρη της γης.

Διαβάστε επίσης...

ΤΖΕΦ ΚΙΝΙ

ΤΟ ΗΜΕΡΟΛΟΓΙΟ ΕΝΟΣ ΣΠΑΣΙΚΛΑ

Μετάφραση: Χαρά Γιαννακοπούλου

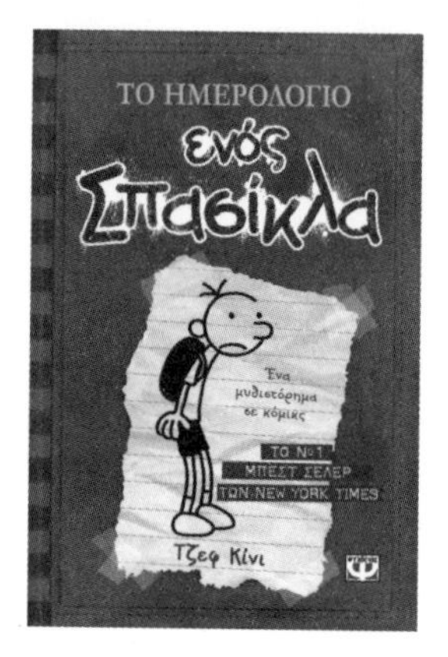

Το να είσαι μικρός είναι φρίκη ώρες ώρες. Και κανένας δεν το γνωρίζει καλύτερα από τον Γκρεγκ Χέφλι που βρίσκεται ξαφνικά στο γυμνάσιο, όπου μικροκαμωμένα πιτσιρίκια μοιράζονται τους διαδρόμους του σχολείου με μαντραχαλάδες, οι οποίοι έχουν κιόλας αρχίσει να ξυρίζονται.

Στο *Ημερολόγιο ενός Σπασίκλα*, ο συγγραφέας και εικονογράφος Τζεφ Κίνι μάς συστήνει έναν απροσδόκητο ήρωα. Και όπως γράφει κι ο Γκρεγκ στο ημερολόγιό του: *Μην περιμένετε να δείτε τίποτε «Αγαπημένο μου ημερολόγιο», αυτό, και «Αγαπημένο μου ημερολόγιο», εκείνο, εντάξει;*

Ευτυχώς για εμάς, αυτό που ο Γκρεγκ λέει πως δε θα κάνει και αυτό που, τελικά, κάνει είναι δύο εντελώς διαφορετικά πράγματα.

ΤΖΕΦ ΚΙΝΙ

ΤΟ ΗΜΕΡΟΛΟΓΙΟ ΕΝΟΣ ΣΠΑΣΙΚΛΑ 3

ΤΟ ΠΟΤΗΡΙ ΞΕΧΕΙΛΙΣΕ

Μετάφραση: Χαρά Γιαννακοπούλου

Ας μη γελιόμαστε, ο Γκρεγκ Χέφλι δε θα πάψει ποτέ να είναι ένας αφόρητος σπασίκλας. Μόνο που κάποιος πρέπει να το εξηγήσει και στον πατέρα του.

Βλέπετε, ο Φρανκ Χέφλι νομίζει ότι μπορεί να κάνει επιτέλους το γιο του να φέρεται σαν σωστός άντρας και γι' αυτό τον γράφει σε διάφορα αθλήματα και δραστηριότητες για «σκληρούς άντρες». Φυσικά ο Γκρεγκ, που δεν είναι φτιαγμένος για τέτοια, καταφέρνει πάντα να κάνει το δικό του.

Αλλά όταν ο πατέρας του τον απειλεί πως θα τον στείλει στη Στρατιωτική Ακαδημία, ο Γκρεγκ αρχίζει να παίρνει πια στα σοβαρά τη «μεταμόρφωσή» του σε σωστό άντρα, αλλιώς τον περιμένει... γερή καμπάνα.